suhrkamp taschenbuch 534

Stanisław Lem, geboren am 12. 9. 1921 in Lwów, lebt heute in Kraków. Lem, der während des Krieges der Widerstandsbewegung angehörte, arbeitete bis zur Befreiung Polens als Autoschlosser. Nach dem Krieg studierte er Medizin in Kraków. Nach dem Staatsexamen war er als Assistent für Probleme der angewandten Psychologie am *Konserwatorium Naukoznawcze* tätig. Privat beschäftigte er sich mit Problemen der Kybernetik, der Mathematik und übersetzte wissenschaftliche Publikationen. 1955 wurde Lem mit dem Goldenen Verdienstkreuz, 1959 mit dem Offizierskreuz der *Polonia Restituta* ausgezeichnet und erhielt 1973 den Großen Staatspreis für Literatur der VRP. Stanisław Lem ist Gründer der polnischen astronautischen Gesellschaft und war Mitglied der polnischen Gesellschaft für Kybernetik. Seit Januar 1973 liest Lem als Dozent am Lehrstuhl für polnische Literatur der Universität Kraków. Wichtige Veröffentlichungen: *Der Unbesiegbare* (1969), *Solaris* (1972), *Die vollkommene Leere* (1973), *Sterntagebücher* (1973), *Robotermärchen* (1973), *Das Hohe Schloß* (1974), *Der futurologische Kongreß* (1974), *Transfer* (1974), *Die Untersuchung* (1975), *Das Hospital der Verklärung* (1975), *Summa Technologiae* (1976), *Imaginäre Größe* (1976), *Der Schnupfen* (1977), *Phantastik und Futurologie* (1977), *Mondnacht*. Hör- und Fernsehspiele (1977), *Die Maske. Herr F.* Zwei Erzählungen (1977), *Golem XIV und andere Prosa* (1978).

Der achte futurologische Kongreß zu Nounas in Costricana, an dem auch der weltberühmte Weltraumfahrer Ijon Tichy teilnimmt, steht unter keinem guten Stern. In den Straßen kämpft eine rücksichtslose Militärregierung mit Insurgenten, wobei auch chemische Kampfstoffe eingesetzt werden, sogenannte »Gutstoffe«, Benignatoren. Auch die Teilnehmer des Kongresses werden in die Kämpfe verwickelt und müssen sich auf der Flucht, vollgepumpt mit Chemie, in die Kanalisation der Stadt zurückziehen. Das Kernstück der Erzählung bildet eine lange Episode, in der der nach schweren Verletzungen in Kühlschlaf versetzte Ijon Tichy im Jahre 2039 erwacht, wo mittlerweile das Zeitalter der Psychemie angebrochen ist, der Beeinflussung aller Sinneswahrnehmungen durch chemische Mittel, die die ganze menschliche Existenz durchdringen, so daß es keine Wirklichkeit mehr gibt, die nicht chemisch manipuliert wäre. Wie in den *Sterntagebüchern* (st 459) betreibt Lem ein Spiel mit der Sprache und schöpft scheinbar mühelos mehr als hundert neue Begriffe aus der Wissenschaft und dem Leben der Zukunft und imaginiert beiläufig die »sprachseitige Zukunftsvoraussage«, d. h. eine Futurologie, die die Zukunft anhand der Umformungsmöglichkeiten der Sprache erforscht.

Stanisław Lem
Der futurologische Kongreß

Aus Ijon Tichys Erinnerungen

Phantastische Bibliothek
Band 29

Suhrkamp

Titel der Originalausgabe: *Kongres futurologiczny*
Aus dem Polnischen von I. Zimmermann-Göllheim

suhrkamp taschenbuch 534
Zweite Auflage, 16.–30. Tausend 1979

Lizenzausgabe mit freundlicher Genehmigung des
Insel Verlags, Frankfurt am Main
Suhrkamp Taschenbuch Verlag

Satz: LibroSatz, Kriftel
Druck: Ebner Ulm · Printed in Germany
Umschlag nach Entwürfen
von Willy Fleckhaus und Rolf Staudt

Der futurologische Kongreß

Der Achte Futurologische Weltkongreß fand zu Nounas in Costricana statt. Ehrlich gesagt, ich wäre nie hingereist, aber Professor Tarantoga deutete an, alle Welt erwarte es von mir. Auch sagte er (was mir einen Stich gab), Astronautik sei heute eine Form der Erdflucht. Wer die Sorgen der Erde satt habe, fliege in die Galaxis und gedenke so das Ärgste zu versäumen. In der Tat lugte ich zumal früher auf dem Heimflug von meinen Reisen oft angstvoll durchs Fenster, gewärtig, statt des Erdballs ein Ding wie eine Bratkartoffel vorzufinden. Also sträubte ich mich kaum; ich erwähnte nur, daß ich von Futurologie nichts verstehe. Tarantoga erwiderte, fast niemand verstehe etwas von Schiffspumpen, doch beim Ruf »Alle an die Pumpen« eile jeder an seinen Platz.

Der Vorstand der Futurologischen Gesellschaft hatte Costricana zum Tagungsland gewählt, weil die Übervölkerungs-Springflut und ihre Bekämpfung das Thema bildeten. Costricana hat derzeit den welthöchsten Geburtenüberschuß; unter dem Druck solcher Wirklichkeit sollten wir fruchtbarer debattieren. Nur Lästerer hoben hervor, daß just in Nounas ein neuerbautes Hotel des Hilton-Konzerns meistens leer stand, wohingegen zur Tagung außer den Futurologen ebenso viele Presseleute anreisen sollten. Da sich im Rahmen der Debatten das Hotel in nichts aufgelöst hat, kann ich jetzt ruhigen Gewissens und ohne Furcht vor dem Verdacht der Schleichwerbung feststellen: Es war ein ausgezeichnetes Hilton! In solchen Dingen hat mein Urteil besonderes Gewicht. Ich bin nämlich der geborene Schwelger. Nur aus Pflichtgefühl entsage ich allem Komfort und erwähle mir die astronautische Plackerei.

Das costricanesische Hilton schoß hundertsechs Stockwerke hoch aus einem flachen vierstöckigen Sockel empor. Auf den Dächern dieses niedrigen Teils gab es Tennisplätze, Schwimm- und Sonnenbäder, Go-Kart-Rennstrecken, Karusselle, die zugleich als Roulett dienten, und eine Schießbude, wo jeder nach Herzenslust und freier Wahl auf ausgestopfte Personen schießen konnte (Sonderanfertigungen wurden binnen vierundzwanzig Stunden geliefert). Es gab auch eine halbrunde Konzert-Arena mit einer Anlage, die Tränengas ins Publikum sprühen konnte. Mir wurde ein Appartement im hundertsten Stockwerk zugewiesen. Von dort aus sah ich nichts als die Oberseite der bläulich-braunen Smogwolke, die das Stadtbild verhüllte. An der Hotelausstattung befremdete mich manches, zum Beispiel in einer Ecke des Jaspis-Badezimmers eine drei Meter lange Eisenstange, im Schrank eine Tarnpelerine in Schutzfarben und unter dem Bett ein Sack Zwieback. Im Bad, neben den Handtüchern, hing in dicker Rolle ein typisches Kletterseil. Und als ich erstmals den Schlüssel ins Yale-Schloß steckte, bemerkte ich an der Tür ein kleines Schild mit der Aufschrift: »Die Hilton-Direktion bürgt dafür, daß diese Räumlichkeit keine *Bomben* enthält.«

Bekanntlich gibt es heutzutage zweierlei Wissenschaftler: ortsfeste und fahrende. Die ortsfesten forschen wie eh und je, die fahrenden aber besuchen alle erdenklichen internationalen Konferenzen und Kongresse. Der Wissenschaftler dieser zweiten Gruppe ist leicht zu erkennen: am Rockaufschlag trägt er stets eine kleine Visitenkarte mit dem Namen und dem akademischen Grad, in der Tasche aber die Zeitpläne der Fluglinien. Er selbst verwendet nur Gürtel ohne Metallschnalle, und auch seine Mappe hat ein Schnappschloß aus Kunststoff, alles nur, um nicht grundlos die Alarmsirene des Geräts auszulösen, das auf dem Flughafen die Reisenden durchleuchtet und Hieb- und Schußwaffen auffindet. Die Fachliteratur studiert ein solcher Wissenschaftler in den Bussen der Fluglinien und in Wartesälen, Flugzeugen und Hotelbuffets. Da ich aus begreiflichen Gründen viele in den letzten Jahren aufgekommene Eigenheiten der irdischen Kultur nicht kannte, erregte ich Flugplatzalarm in Bangkok, in Athen und in Costricana selbst. Dem konnte ich nicht rechtzeitig vorbeugen, denn ich habe sechs Metallplomben (aus Amalgam). In Nounas selbst wollte ich sie gegen Porzellan auswechseln lassen, doch unvermutete Ereignisse vereitelten dies. Den Sinn des Stricks, der Stange, des Zwiebacks und der Pelerine erklärte mir leutselig ein Mitglied der amerikanischen Futurologendelegation: das Hotelgewerbe unserer Zeit treffe eben Vorsichtsmaßnahmen ehemals unbekannter Art. Jeder solche Gegenstand im Appartement erhöhe die Überlebensquote pro Hotelbett. Aus Leichtsinn achtete ich zuwenig auf diese Worte.

Die Debatten sollten am Nachmittag des ersten Tages beginnen, doch schon am Morgen erhielten wir die vollständigen Konferenzmaterialien in eleganter graphischer Ausstattung und mit zahlreichen Exponaten. Ein hübsches Bild boten insbesondere die Abreißblöcke aus blauem Hochglanzpapier mit dem Aufdruck: »Begattungspassierscheine«. Auch wissenschaftliche Konferenzen leiden heute unter der Bevölkerungsexplosion. Da die Anzahl der Futurologen mit gleicher Steigerung anwächst wie die ganze Menschheit, herrschen bei Kongressen Hast und Gedränge. Die Referate können nicht vorgetragen werden; jeder muß sie sich im voraus zu Gemüte führen. Doch am Morgen hatten wir keine Zeit dazu, denn die Gastgeber baten uns zu einem Gläschen Wein. Diese kleine Feier verlief fast ungestört, wenn man davon absieht, daß die Delegation der USA mit faulen Tomaten beworfen wurde. Beim Wein sprach ich mit einem Bekannten, dem Journalisten Jim Stantor von United Press International. Er sagte mir, daß Extremisten bei Tagesanbruch den amerikanischen Konsul in Costricana und den dritten Botschaftsattaché entführt hätten und für die Freigabe der Diplomaten die Entlassung politischer Häftlinge verlangten. Um aber den Ernst der Forderungen zu betonen, hatten die Extremisten an die Botschaft und an regierende Kräfte vorerst einzelne Zähne der zwei Geiseln gesandt und die Eskalation angekündigt. Doch dieser Mißton beeinträchtigte keineswegs die herzliche Atmosphäre des Morgencocktails. Der Botschafter der USA kam persönlich und hielt eine kurze Ansprache über die Notwendigkeit internationalen Zusammenwirkens; allerdings standen rund um den Redner sechs breitschultrige Zivilisten, die uns aufs Korn nahmen. Ich gestehe, daß mich dies ein wenig verstörte, zumal da sich neben mir ein dunkelhäutiger indischer Delegierter in Anbetracht seines Schnupfens schneuzen wollte und nach dem Tuch in die Tasche langte. Der Pressesprecher der Futurologischen Gesellschaft versicherte mir nachher, die angewandten Mittel seien unerläßlich und menschenfreundlich gewesen. Die Bedeckung führe ausschließlich großkalibrige Waffen von geringer Durchschlagskraft, genau wie die Wachen an Bord der Linienflugzeuge. Demnach könne kein Außenstehender geschädigt werden, im Gegensatz zu früher, wo ein Geschoß nach Erlegung des Attentäters oft noch fünf bis sechs harmlose Sterbliche durchbohrt habe. Ein Mensch, der unter konzentriertem Beschuß vor deinen Füßen zusammensackt, ist nichtsdestoweniger kein erfreulicher Anblick, selbst dann nicht, wenn es sich um ein simples Mißverständnis handelt, das den Austausch diplomatischer Entschuldigungsnoten nach sich zieht.

Doch statt auf das Sachgebiet menschenfreundlicher Ballistik abzuschweifen, sollte ich lieber erklären, wieso ich die Konferenzmaterialien während des ganzen Tages nicht durchblättern konnte. Ich will von der üblen Einzelheit absehen, daß ich rasch das blutige Hemd zu wechseln hatte; gegen meine Gewohnheit frühstückte ich dann im Hotelbuffet. Morgens esse ich immer weiche Eier, und in keinem Hotel der Erde können sie ans Bett serviert werden, ohne daß sie samt den Dottern eklig gerinnen. Dies ergibt sich selbstredend aus den stetig zunehmenden Ausmaßen der Hauptstadthotels. Wenn anderthalb Meilen die Kochküche vom Zimmer trennen, dann rettet nichts die Dotter vor dem Gerinnen. Soviel ich weiß, haben eigene Hilton-Fachleute dieses Problem untersucht und den Schluß gezogen, Abhilfe schüfen lediglich eigene Aufzüge mit Überschallgeschwindigkeit;

jedoch der sogenannte ›Sonic Boom‹, der Knall beim Durchbrechen der Schallmauer, ließe in geschlossenem Raum die Trommelfelle platzen. Wir könnten vielleicht verlangen, der Küchenautomat solle rohe Eier liefern, und der Kellnerautomat solle sie vor unseren Augen im Zimmer weich kochen; doch dann könnten wir fast ebensogut einen Stall voll eigener Hühner ins Hilton mitschleppen! Aus diesen Gründen begab ich mich am Morgen ins Buffet. Heutzutage nehmen 95 von hundert Hotelgästen an irgendeiner Tagung oder Konferenz teil. Der Einsiedlergast, der Einlings-Tourist ohne Visitenkarte am Aufschlag und ohne prallgestopfte Mappe voll Konferenzpapierkram ist selten wie die Perle in der Wüste. Außer uns tagten damals in Costricana die Splittergruppe »Tiger« der Jugendlichen Gegenbewegung, die Verleger Befreiter Literatur und der Streichholzschachtelsammlerverband. Gewöhnlich werden die Mitglieder einer solchen Gruppe in ein und demselben Stockwerk untergebracht. Doch um mich zu ehren, hatte mir die Direktion das Appartement im hundertsten Stock gegeben, weil es einen eigenen Palmenhain hatte, wo Bach-Konzerte stattfanden; das Orchester war weiblich und vollführte beim Spielen gemeinschaftlich Strip-Tease. Das alles hätte ich gern entbehrt, aber leider war kein Zimmer frei. Ich mußte also bleiben, wo man mich einquartiert hatte. Kaum saß ich auf einem Barhocker im Buffet meines Stockwerkes, da hielt mir schon der stämmige Sitznachbar das schwere beschlagene Doppelgewehr unter die Nase, das er umgehängt trug. (Von den schwarzen Bartzotteln des Mannes konnte ich wie von einer Speisekarte alle Mahlzeiten der letzten Woche ablesen.) Er lachte rauh und fragte, was ich von seiner Päpstlerin hielte. Ich begriff nichts, aber das wollte ich lieber nicht eingestehen. Bei Zufallsbekanntschaften ist Schweigen die beste Taktik. Er offenbarte mir denn auch eifrig von selbst, dieser doppelläufige Stutzen mit Laservisier, Schnelldrücker und Lader sei eine Waffe gegen den Papst. Unentwegt schwatzend zückte der Bärtige ein geknicktes Foto; es zeigte ihn selbst, wie er eben auf eine Puppe mit Priesterkäppchen anlegte. Er behauptete, er sei schon in Höchstform und rüste sich eben zur großen Wallfahrt nach Rom, um dort den Heiligen Vater vor dem Petersdom abzuknallen. Ich glaubte kein Wort, doch unter stetigem Geplapper zeigte mir der Kerl ein Flugbillet mit Buchung, ein Meßbuch, den Prospekt einer Pilgerreise für amerikanische Katholiken und endlich ein Päckchen Patronen mit kreuzweis geritzten Köpfen. Aus Ersparnisgründen hatte er nur die Hinfahrt bezahlt, denn er rechnete damit, von den empörten Wallern in Stücke gerissen zu werden. Diese Aussicht schien ihn in blendende Laune zu versetzen. Zunächst hielt ich ihn für einen Irren oder für einen der extremistischen Berufsattentäter, die ja heute nicht selten sind. Doch auch hier täuschte ich mich. Pausenlos schwatzend und immer wieder vom hohen Hocker kriechend, um die heruntergerutschte Flinte aufzuklauben, offenbarte er mir, er sei just ein glühender strenggläubiger Katholik. Die geplante Aktion (die er »Aktion P« nannte) sei ein besonderes Opfer seinerseits. Er wolle das Gewissen der Menschheit aufrütteln, und was rüttle daran wohl besser als solch ausbündige Tat? Was nach der Heiligen Schrift Abraham mit Isaak getan habe, das werde auch er tun, nur eben umgekehrt, nicht mit dem Sohn, sondern mit dem Vater, noch dazu mit dem Heiligen, erläuterte er mir. Solcherart beweise er den höchsten von einem Christen je aufgebrachten Opfermut und liefere den Körper an die Martern aus, die Seele aber an die Verdammnis, alles nur, um der Menschheit die Augen zu öffnen. »Um dieses Augenöffnen bemühen sich ein bißchen zu viele« – dachte ich. Von der Standrede nicht überzeugt, ging ich den Papst retten, das heißt, den Plan verraten. Aber als ich im Buffet des 77. Stockwerks auf Stantor stieß, da ließ er mich gar nicht ausreden; er sagte, unter den Geschenken der letzten amerikanischen Wallfahrergruppe an Hadrian den Elften hätten sich ein Meßwein-Fäßchen voll Nitroglyzerin sowie zwei Zeitbomben befunden. Den blasierten Ton begriff ich besser, als ich hörte, daß die Extremisten soeben ein Bein in die

Botschaft geschickt hätten; nur von wem es stamme, sei noch ungeklärt. Im übrigen sprach Stantor nicht zu Ende; er wurde ans Telefon gerufen, denn in der Avenida Romana hatte sich angeblich jemand aus Protest in Brand gesteckt. Im Buffet des 77. Stockwerks war die Stimmung ganz anders als oben bei mir. Es gab viele barfüßige und bis zum Gürtel in Kettenhemden gehüllte Mädchen; manch eine trug einen Säbel. Einige hatten ihre langen Zöpfe nach neuester Mode am Collier oder am nägelgespickten Halsband befestigt. Ich bin nicht sicher: waren das nun Streichholzschachtelsammlerinnen oder die Sekretärinnen des Verbandes Befreiter Verleger? Die farbigen Standfotos, die gerade betrachtet wurden, sahen mir eher nach Spezialpublikationen aus. Ich fuhr neun Stockwerke abwärts, dorthin, wo meine Futurologen hausten. Schon wieder in einem Buffet angelangt, nahm ich einen Long Drink mit Alphonse Mauvin von Agence France Presse; zum letztenmal versuchte ich den Papst zu retten, aber Mauvin nahm meinen Bericht mit stoischem Gleichmut auf und brummte nur, vorigen Monat habe im Vatikan ein australischer Pilgrim geschossen, aber von einem völlig anderen weltanschaulichen Standort aus. Mauvin erhoffte sich für die Agentur ein interessantes Interview mit einem gewissen Manuel Pyrhullo; diesen jagten das FBI, die Sûreté, die Interpol und etliche andere Polizisten, er war nämlich der Gründer eines neuartigen Dienstleistungsbetriebs und empfahl sich als Spezialist für Sprengstoffanschläge, wobei er sich seiner Gesinnungslosigkeit sogar rühmte. Er war gemeinhin unter dem Decknamen »Der Bomber« bekannt. Bald trat ein schönes rothaariges Mädchen an unseren Tisch. Ihre Tracht ähnelte einem ganz und gar von Schnellfeuerserien durchlöcherten Spitzennachthemd. Das war die Abgesandte der Extremisten; sie sollte den Reporter zu ihnen ins Hauptquartier lotsen. Im Fortgehen überreichte mir Mauvin ein Reklameflugblatt Pyrhullos. Ich erfuhr daraus, nun sei endlich Schluß mit der Stümperei unverantwortlicher Dilettanten, die ja unfähig seien, Dynamit von Melinit und Bickford-Zündschnüre von Knallquecksilber zu unterscheiden; im Zeitalter der hochgezüchteten Spezialisierung tue man nichts auf eigene Faust; man vertraue dem Berufsethos und den Kenntnissen gewissenhafter Fachleute. Auf der Rückseite des Flugblattes las ich den Dienstleistungstarif nebst Umrechnung in die Währungen der höchstentwickelten Länder dieser Welt.

Eben begannen die Futurologen im Buffet einzutreffen; einer von ihnen, Professor Mashkenase, stürzte bleich und schlotternd herbei und schrie, bei ihm liege eine Zeitbombe im Zimmer. Der Barmixer schien mit solchen Lebenslagen vertraut; er rief mechanisch »Deckung!« und verschwand hinter dem Schanktisch. Doch die Hoteldetektive klärten den Fall im Nu: irgendein Kollege hatte dem Professor einen dummen Streich gespielt; in einer alten Keksdose tickte ein simpler Wecker. Das sah mir nach einem Engländer aus, die schwärmen ja für sogenannte »Practical Jokes«. Aber der Vorfall war schnell vergessen, denn J. Stantor und J. G. Howler, beide von UPI, brachten uns den Text einer Verbalnote der amerikanischen Regierung an die costricanesische, zum Thema der entführten Diplomaten. Das Schriftstück war in der üblichen Sprache diplomatischer Noten abgefaßt und nannte weder das Bein noch die Zähne beim Namen. Jim teilte mir mit, daß die örtliche Regierung drastische Maßnahmen erwog. Der Machthaber, General Apollon Diaz, begünstigte die »Falken«, die ihm empfahlen, Gewalt mit Gewalt niederzuzwingen. Das Kabinett beriet in Permanenz, unter anderem über folgenden Vorschlag einer Gegenoffensive: den politischen Häftlingen, deren Freigabe die Extremisten fordern, reißt man doppelt so viele Zähne aus. Und da die Stabsadresse der Extremisten nicht bekannt ist, sendet man ihnen diese Zähne postlagernd.

Die Luftpostausgabe der New York Times appellierte in Sulzbergers Worten an Vernunft und Gemeinsinn der menschlichen Rasse. Stantor sagte mir im Vertrauen, die Regierung habe einen Eisenbahnzug mit geheimem Kriegsmaterial requiriert, Eigentum der USA, das auf costricanesischem Gebiet als Durchfuhrgut nach Peru unterwegs gewesen sei. Futurologen zu entführen, schien den Extremisten vorerst nicht einzufallen; in ihrem Sinne wäre das gar nicht dumm gewesen, denn Costricana beherbergte im Augenblick mehr Futurologen als Diplomaten. Ein hundertstöckiges Hotel ist jedoch ein eigener Organismus, so riesig und gegen den Rest der Welt so luxuriös abgeschirmt, daß Nachrichten von draußen nur wie von der anderen Erdhälfte herüberdringen. Vorläufig war bei den Futurologen nichts von einer Panik zu merken. Das hoteleigene Reisebüro verzeichnete keinen Massenansturm auf Flüge nach den Vereinigten Staaten oder sonstwohin. Für zwei Uhr war das offizielle Eröffnungsbankett anberaumt, und ich hatte noch nicht Zeit gefunden, den Abendpyjama anzulegen. Ich fuhr also auf mein Zimmer und dann schleunigst hinunter in den 46. Stock zum Purpursaal. Im Vorraum nahten sich mir zwei bezaubernde Mädchen in Pumphosen, oben ohne, die Brust mit Vergißmeinnicht und Schneeglöckchen bemalt. Die beiden überreichten mir ein glänzendes Faltblatt. Ich sah es gar nicht an und betrat den Saal. Er war noch fast leer; der Anblick der Festtafel benahm mir den Atem, nicht weil sie üppig gedeckt war, nein, schockierend wirkten die Formen aller Pasteten, Vorspeisen und Beilagen. Sogar die Salate waren Geschlechtsteilen nachgebildet. Von optischer Täuschung konnte keine Rede sein, denn aus diskret versteckten Lautsprechern drang ein in gewissen Kreisen beliebter Schlager, der mit den Worten beginnt: »Wer heut nicht für Geschlechtsteil wirbt, ein Hundsfott, der's Geschäft verdirbt, denn heut ist jedem angenehm das Urogenitalsystem«.

Die ersten Bankettierer trafen ein, alle mit Rauschebart und martialischem Schnauz, im übrigen lauter junge Leute, im Pyjama oder auch ohne. Sechs Kellner trugen eine Torte herein; beim Anblick dieser unanständigsten Süßspeise der Welt konnte ich nicht länger zweifeln: ich hatte mich im Saal geirrt und war wider Willen beim Bankett der Befreiten

Literatur gelandet. Unter dem Vorwand, die Sekretärin sei mir abhanden gekommen, entwich ich schleunigst und fuhr ins nächsttiefere Stockwerk, um am rechten Platze aufzuatmen. Der Purpursaal (nicht der Rosasaal, in den ich mich vorher verirrt hatte) war schon voll. Der bescheidene Aufwand enttäuschte mich, aber ich ließ mir möglichst wenig anmerken. Das Buffet war ein kaltes Stehbuffet; um die Konsumation zu erschweren, hatte man aus dem riesigen Saal alle Stühle und Sessel entfernt. Es galt also, die bei solchen Anlässen übliche Behendigkeit zu entwickeln, zumal da die gehaltvolleren Schüsseln wüst umdrängt wurden. Ein Vertreter der costricanesischen Sektion der Futurologischen Gesellschaft, Señor Cuillone, erklärte mit bezauberndem Lächeln, jedwede Schlemmerei wäre fehl am Platze, denn zu den Themen der Tagung zähle auch die Hungersnot, die der Menschheit drohe. Natürlich fanden sich Skeptiker. Sie sagten, der Gesellschaft seien die Zuwendungen gekürzt worden, und nur dies erkläre so krasse Sparmaßnahmen. Die Presseleute mußten fasten: so wollte es ihr Beruf. Sie eilten rastlos zwischen uns umher und sammelten Kurzinterviews mit den Leuchten der ausländischen Prognostik. Statt des Botschafters der USA erschien nur der Dritte Botschaftssekretär mit mächtiger Schutztruppe und als einziger im Smoking, da sich eine kugelsichere Weste unter dem Pyjama schwer verbergen läßt. Gäste aus der Stadt wurden unten in der Hall durchsucht. Wie ich hörte, türmte sich dort schon ein ansehnlicher Stapel gefundener Waffen. Die eigentlichen Debatten waren für fünf Uhr anberaumt. So blieb noch Zeit, um im Zimmer auszuruhen. Ich fuhr also in den hundertsten Stock. Die versalzenen Salate hatten mich sehr durstig gemacht. Doch das Buffet meines Stockwerks umlagerten Gegenbewegler und Dynamitbrüder mit ihren Mädchen, und mir genügte schon jenes eine Gespräch mit dem bärtigen Papisten (oder Antipapisten?). Ich beschied mich also mit einem Glas Leitungswasser. Kaum hatte ich es ausgetrunken, da erlosch im Bad und in beiden Zimmern das Licht.

Und welche Telefonnummer ich auch wählte, ich wurde stets mit einem Automaten verbunden, der das Märchen von Aschenputtel erzählte. Ich wollte abwärts fahren, doch auch der Lift funktionierte nicht. Ich hörte den Chor der Gegenbewegler singen und im Takt bereits schießen – daneben, wie ich hoffte. Sogar in erstklassigen Hotels kommen Defekte vor; das ist freilich ein schwacher Trost. Am meisten erstaunte mich jedoch die eigene Reaktion. Meine seit dem Gespräch mit dem Papstschützen eher üble Laune besserte sich von Sekunde zu Sekunde. Durchs Zimmer tappend und den Hausrat umwerfend, lächelte ich huldvoll in die Finsternis. Nicht einmal das Knie, das ich mir an den Koffern blutig schlug, schmälerte mein Wohlwollen für die ganze Welt. Ich ertastete auf dem Nachttisch Reste der Mahlzeit, die ich mir zwischen Frühstück und Lunch aufs Zimmer bestellt hatte. Ich steckte ein Schnipsel von einem Kongreßfaltblatt in ein Scheibchen Butter, zündete das Papier mit einem Streichholz an und gewann somit eine Kerze, wenn sie auch rußte. In ihrem Schein setzte ich mich in den Lehnstuhl, ich hatte ja noch mehr als zwei Stunden Freizeit. (Eine davon benötigte ich allerdings zur Treppenwanderung, falls der Lift gestört blieb.) Mein Gemütszustand durchlief weitere Schwankungen und Wandlungen, die ich mit lebhaftem Interesse beobachtete. Mir war vergnügt zumute, schlechtweg köstlich. Im Nu konnte ich Unmengen von Argumenten zum Lob der eingetretenen Sachlage aufzählen. Für einen der feinsten erdenklichen Plätze der Welt hielt ich allen Ernstes ein Hilton-Appartement voll Qualm und Ruß aus einem Butterstümpfchen, inmitten ägyptischer Finsternis, ohne Verbindung zur Außenwelt und mit einem Telefon, das Märchen erzählt. Ferner verspürte ich den übermächtigen Wunsch, dem erstbesten Mitmenschen die Haare zu streicheln oder zumindest seine Bruderhand zu drücken und ihm dabei tief in die Augen zu schauen.

Dem grimmigsten Feind hätte ich die Wangen abgeschmatzt. Die Butter schmolz, prasselte und rauchte; einmal ums andere erlosch sie. – Meine Butter wird immer kaputter – dieser Reim versetzte mich in einen Lachkrampf, obwohl ich mir indessen mit den Streichhölzern die Finger versengte, als ich wieder einmal den Papierdocht anzuzünden suchte. Das Butterlicht gloste kaum, ich aber summte halblaut Arien aus alten Operetten und achtete nicht darauf, daß mich der Qualm im Hals würgte und daß mir Tränen aus den entzündeten Augen über die Wangen rollten. Als ich aufstand, stolperte ich über einen Koffer und plumpste der Länge nach hin. Doch auch die eigroße Beule, die meiner Stirn entsproß, steigerte meinen Frohsinn (wenn eine Steigerung noch möglich war). Ich lachte, halb erstickt vom stinkenden Rauch, der gleichfalls nichts gegen meinen Freudentaumel vermochte. Ich legte mich aufs Bett; seit dem Morgen stand es ungebettet, obwohl der Mittag längst vorüber war. Des Personals, das solche Nachlässigkeit bewies, gedachte ich wie leiblicher Kinder: außer zärtlichen Koseworten und Verkleinerungen kam mir nichts in den Sinn. – Selbst wenn ich hier ersticken sollte – so durchblitzte es mich –, dann wäre dies die vergnüglichste, netteste Todesart, die ich mir wünschen könnte. – Diese Feststellung widerstritt so sehr meinem ganzen Naturell, daß sie auf mich wie ein Wecksignal wirkte. Mein Geist spaltete sich seltsam entzwei. Weiterhin erfüllte ihn abgeklärte Helligkeit, allumfassendes Wohlwollen; die Hände aber waren so begierig, irgendwen zu liebkosen, daß ich aus Mangel an außenstehenden Personen mir selber sacht die Wangen zu streicheln und neckisch die Ohren zu zupfen begann; auch reichte ich viele Male die rechte Hand der linken, um beide kräftig zu drücken. Selbst in den Beinen zappelten mir zärtliche Gebärden. Bei alledem hatten sich zuunterst in meinem Ich gleichsam Warnlichter entzündet. »Da stimmt was nicht!« – rief in mir eine ferne schwache Stimme. »Aufgepaßt, Ijon, sei wachsam, hüte dich! Diese Heiterkeit ist verdächtig! Los, rühr dich! Hoppauf! Suhl dich nicht im Sitz wie ein Onassis, tränend vor Rauch und Ruß, du mit deiner Stirnbeule und mit deinem allgemeinen Wohlwollen! Dahinter verbirgt sich schwarzer Verrat!« Diesen Stimmen zum Trotz rührte ich keinen Finger. Nur die Gurgel dorrte mir aus. Das Herz hämmerte mir im übrigen schon lang, doch dies hatte ich auf die jählings erwachte Allerweltsliebe zurückgeführt. Ich ging ins Badezimmer, ich hatte gräßlichen Durst. Ich dachte an den versalzenen Salat des Banketts oder vielmehr dieses Stehbuffets und dann versuchsweise an die Herren J. W., H. C. M. und M. W. und an meine sonstigen ärgsten Feinde. Ich stellte fest, daß ich ihnen kein anderes Gefühl entgegenbrachte als den Wunsch nach einem herzhaften Händedruck, einem geschmalzenen Schmatz und ein paar Worten brüderlichen Gedankenaustauschs. Dies war nun wahrlich alarmierend! Ich erstarrte, die eine Hand am Nickelhahn, in der anderen das leere Glas. Meine Gesichtsmuskeln verzerrte ein sonderbarer Krampf. Ganz langsam füllte ich Wasser ein, und während ich im Spiegel den Zwist der eigenen Gesichtszüge sah, goß ich es wieder weg.

Das Leitungswasser! Ja! Kaum hatte ich davon getrunken, da hatten in mir diese Wandlungen eingesetzt! Im Wasser mußte etwas drin sein! Was aber? Gift? Mir war keines bekannt, das auf diese Art... Oder doch! Halt! Ich bin ja ein fleißiger Abonnent der wissenschaftlichen Fachpresse. »Science News« hatte kürzlich über neue psychotrope Mittel aus der Gruppe der sogenannten *Benignatoren* oder *Gutstoffe* berichtet, die dem Geist gegenstandslose Freude und Heiterkeit aufzwingen. Natürlich! Wie gedruckt stand mir die Meldung vor dem geistigen Auge. Hedonil, Benefizil, Edelpassionat, Euphorasol, Felixol, Altruisan, Schmusium und Unmengen von Derivaten! Bei Ersatz der Hydroxylgruppen durch Amidgruppen gewinnt man andererseits aus denselben Ausgangsstoffen Furiasol, Rabiat, Sadin, Flagellan, Aggressium, Frustrandol, Amokgeist und viele andere wutbildende Präparate aus der sogenannten Moritatgruppe (wie der Name sagt, nötigen sie zur Grausamkeit gegen alles Lebende oder Leblose im Umkreis; am wirksamsten sind angeblich Trampelin und Prygelin).

Aus diesen Gedanken riß mich das Klingeln des Telefons; auch das Licht strahlte wieder auf. Die Stimme eines Rezeptionsangestellten entschuldigte sich untertänig und feierlich für die Betriebsstörung, die soeben bereits behoben worden sei. Ich öffnete die Tür zum Korridor, um das Zimmer zu durchlüften. Soviel ich merken konnte, herrschte Stille im Hotel. Taumelig und immer noch von Segnungsdrang und Zärtlichkeitswillen übersprudelnd, ließ ich die Tür wieder ins Schloß schnappen, setzte mich mitten im Zimmer nieder und stürzte mich in den Kampf mit mir selbst. Mein damaliger Zustand ist ungemein schwer zu beschreiben. Das Denken ging mir durchaus nicht so glatt und eindeutig vonstatten, wie ich es hier wiedergebe. Jede kritische Reflexion war gleichsam in Honig eingetaucht, von einem Kinderschleck aus dümmlichem Selbstbehagen umsponnen und gelähmt; jede einzelne troff vom Sirup positiver Gefühle; mein Geist schien im süßesten aller erdenklichen Bruchmoore zu versinken, so, als ersöffe ich in Rosenöl und Zuckerguß. Gewaltsam rief ich mir möglichst widerwärtige Dinge ins Gedächtnis: den bärtigen Schuft mit dem doppelläufigen Papstjagdgewehr, die verlotterten Verleger Befreiter Literatur und ihr Gelage von Babel und Sodom, dann wieder die Herren W. C., J. C. M. und A. K. und viele andere Schufte und Halunken, aller nur, um mit Schrecken feststellen zu müssen, daß ich alle liebte und allen alles vergab. Überdies hüpften sofort aus meinen Gedankengängen wie Stehaufmännchen die Rechtfertigungen für alles Böse und Scheußliche. Die Hochflut der Nächstenliebe sprengte mir den Schädel; besonders plagte mich etwas, was sich am ehesten als »Drang zum Guten« bezeichnen läßt. Statt an psychotrope Gifte dachte ich gierig an die Witwen und Waisen, deren ich mich mit Wonne angenommen hätte. Ich wunderte mich immer mehr: wie hatte ich sie bislang so wenig beachten können! Und die Armen, und die Hungernden, und die Kranken, und die Elenden, du lieber Gott! Ich ertappte mich dabei, vor dem Koffer zu knien und alles auf den Fußboden herauszuwerfen, um alle halbwegs guten Sachen auszusuchen und an die Bedürftigen zu verschenken. Und wieder ertönten in meinem Unterbewußtsein schwache Alarmstimmen. »Paß auf! Laß dich nicht einwickeln! Kämpfe, stich, tritt, rette dich!« – rief etwas in mir, schwach, aber verzweifelt. Ich war grausam entzweigerissen. Ich verspürte eine so gewaltige Portion des kategorischen Imperativs, daß ich keiner Fliege ein Haar gekrümmt hätte. – Wie schade – dachte ich –, daß es im Hilton keine Mäuse gibt, ja, nicht einmal Spinnen! Wie hätte ich sie geherzt, vergöttert! Fliegen, Wanzen, Ratten, Stechmücken, Läuse, geliebte Geschöpfchen, o du gewaltiger Gott! – Flüchtig segnete ich Tisch und Lampe und die eigenen Beine. Doch Spuren von Nüchternheit verblieben mir nun. Unverzüglich drosch ich daher mit der Linken auf die segnende Rechte und wand mich vor Schmerz. Das war nicht übel! Das konnte vielleicht mein Heil sein! Der Drang zum Guten wirkte glücklicherweise von innen nach außen: anderen gönnte ich weit Besseres als mir selbst. Fürs erste knallte ich mir ein paar in die Fresse, daß die Wirbelsäule knirschte, während Sterne vor den Augen tanzten. Gut! Nur so weiter! Als das Gesicht fühllos wurde, trat ich mir gegen die Fußknöchel. Zum Glück trug ich schwere Schuhe mit verdammt harten Sohlen. Nach der wilden Tritt-Kur fühlte ich mich einen Moment lang besser, das heißt, schlechter. Vorsichtig versuchte ich mir auszumalen, wie es wäre, auch Herrn J. C. M. zu treten. Es war nicht mehr so völlig unmöglich. Die Knöchel beider Füße taten verteufelt weh; vermutlich dank dieser Selbstmißhandlung gelang es mir sogar, Herrn M. W. einen Rippenstoß zuzudenken. Ohne mich um den quälenden Schmerz zu kümmern, trampelte ich weiter auf mir herum. Brauchbar war alles Spitzige, ich benutzte also eine Gabel und dann die Stecknadeln aus einem noch nie getragenen Hemd. Dies alles verlief aber nicht glatt, sondern eher in Wellen; minutenlang hätte ich mich wieder für die gute Sache verbrennen mögen; von neuem sprudelte in mir ein Geiser höheren Edelmuts und selbstvergessener Tugend.

Aber es gab keinen Zweifel: *Im Leitungswasser war etwas drinnen!* Moment mal!!! Im Koffer schleppte ich ja seit langem die unangebrochene Packung eines Schlafmittels mit mir herum, das mich jedesmal finster und aggressiv gestimmt hatte; eben deshalb verwendete ich es nicht mehr; ein Glück, daß ich es nicht weggeworfen hatte! Ich schluckte eine Tablette und spülte mit rußiger Butter nach, denn Wasser mied ich wie die Pest. Dann würgte ich mit Mühe zwei Koffeinpastillen hinunter, um dem Schlafmittel entgegenzuwirken, setzte mich in den Lehnstuhl und wartete voll Angst, aber auch voll Nächstenliebe auf den Ausgang des chemischen Kampfes in meinem Organismus. Die Liebe vergewaltigte mich immer noch. Ich war begütigt wie nie zuvor. Offenbar gewannen dann die Chemikalien des Übels einen entscheidenden Vorteil über die Präparate des Guten; ich war weiterhin zu fürsorglichem Wirken bereit, aber nicht mehr wahllos. Freilich wäre ich zur Vorsicht gern der ärgste Schuft gewesen, zumindest für einige Zeit.

Nach einer Viertelstunde schien alles überstanden. Ich nahm eine Dusche, rieb mich mit dem rauhen Handtuch trocken, haute mich vorsichtshalber zwecks allgemeiner Vorbeugung hin und wieder in die Fresse, klebte Heftpflaster auf die verletzten Finger und Knöchel, zählte die blauen Flecke (da ich mich im Kampf richtig windelweich geschlagen hatte), legte ein frisches Hemd und den Anzug an, richtete vor dem Spiegel die Krawatte, zupfte den Gehrock zurecht, boxte mich beim Aufbruch ermunternd und zugleich vorsorgend zwischen die Rippen und ging beizeiten fort, denn es war schon fast fünf. Wider meine Erwartung bemerkte ich im Hotel nichts Ungewöhnliches. Ich schaute in das fast verödete Buffet meines Stockwerks. An einem Tisch lehnte die Päpstlerin; unter der Theke ragten zwei Paar Beine hervor, eines davon bloßfüßig, aber dieser Anblick war nicht unbedingt im Rahmen höherer Kategorien zu deuten. Einige andere Dynamitleute saßen an der Wand und spielten Karten, einer spielte Gitarre und sang den bewußten Schlager.

Unten in der Hall wimmelte es von Futurologen. Sie gingen zur Eröffnungssitzung, ohne im übrigen das Hilton verlassen zu müssen; für die Debatten war nämlich ein Saal im niedrigen Teil des Bauwerks gemietet worden. Zunächst wunderte ich mich, doch ich besann mich und begriff, daß in einem solchen Hotel niemand Leitungswasser trinkt. Durstige Gäste bestellen Cola oder Schweppes, notfalls Fruchtsäfte, Tee oder Bier. Auch zu Long Drinks benützt man bitteres Mineralwasser oder sonst etwas in Flaschen Abgefülltes. Und wer etwa trotzdem achtlos meinen Fehler wiederholt hatte, wand sich nun gewiß in Zuckungen all-liebenden Selbstvergessens zwischen den Wänden eines versperrten Appartements. In dieser Sachlage wollte ich lieber mit keinem Muckser auf meine Erlebnisse anspielen; ich war ja fremd am Ort; die Leute hätten mir womöglich nichts geglaubt, sondern Abwegigkeiten oder Wahnvorstellungen bei mir vermutet. Was erwirbt man sich leichter als den Ruf, man hätte eine Schwäche für Rauschgift?

Wegen dieser Austern- oder Vogelstraußpolitik sind mir später Vorwürfe gemacht worden: ich hätte alles aufdecken sollen, dies hätte die bewußte Unglücksserie vielleicht abgewendet . . . Doch wer so redet, zieht einen augenfälligen Trugschluß. Bestenfalls hätte ich die Hotelgäste gewarnt. Die Vorgänge im Hilton hatten aber nicht den mindesten Einfluß auf Costricanas politische Geschicke.

Bei einem Kiosk auf dem Weg zum Sitzungssaal kaufte ich meiner Gewohnheit gemäß einen Stapel einheimischer Zeitungen. Natürlich mache ich es nicht überall so. Doch im Spanischen kann der Gebildete den Sinn ungefähr erschließen, auch ohne diese Sprache zu beherrschen.

Über dem Podium prangte eine bekränzte Tafel mit der Tagesordnung. Den ersten Punkt bildete die urbanistische Weltkatastrophe, den zweiten die ökologische, den dritten die atmosphärische, den vierten die energetische, den fünften die der Ernährung, dann sollte eine Pause folgen. Technologische, militaristische und politische Katastrophe sowie

Anträge außer Programm waren für den nächsten Tag vorgesehen.

Jeder Redner hatte vier Minuten Zeit, um seine Thesen darzulegen. Das war ohnehin viel, wenn man bedenkt, daß 198 Referate aus 64 Staaten angemeldet waren. Um das Beratungstempo zu steigern, mußte jeder die Referate selbständig vor der Sitzung durchstudieren; der Vortragende aber sprach ausschließlich in Ziffern, die auf Kernstücke seiner Arbeit verwiesen. Um derlei reiche Sinngehalte leichter aufzunehmen, schalteten wir samt und sonders die mitgeführten Tonbandgeräte und Kleincomputer ein, welch letztere nachher die grundsätzliche Diskussion bestreiten sollten. Stanley Hazelton aus der Abordnung der USA schockierte sofort das Auditorium, denn er wiederholte nachdrücklich: 4, 6, 11 und somit 22; 5, 9, ergo 22; 3, 7, 2, 11 und demzufolge wiederum 22!!! Jemand erhob sich und rief, es gebe immerhin 5, allenfalls auch 6, 18 und 4; diesen Einwand wehrte Hazelton blitzartig ab: so oder so ergebe sich 22! Ich suchte im Text seines Referats den Codeschlüssel und entnahm ihm, daß die Zahl 22 die endgültige Katastrophe bezeichnete. Sodann schilderte der Japaner Hayakawa die neue, in seinem Lande entwickelte Hausform der Zukunft: achthundertstöckig, mit Gebärkliniken, Kinderkrippen, Schulen, Kaufläden, Museen, Tierparks, Theatern, Kinos und Krematorien. Der Entwurf umfaßte unterirdische Lagerräume für die Asche der Verstorbenen, vierzigkanäliges Fernsehen, Berauschungs- und Ausnüchterungszellen, turnsaalähnliche Hallen für Gruppensexbetrieb (der Ausdruck fortschrittlicher Gesinnung seitens der Entwerfer) sowie Katakomben für unangepaßte Subkulturgruppen. Einigermaßen neu war der Gedanke, jede Familie solle jeden Tag aus der bisherigen Wohnung in die nächste übersiedeln, entweder in der Zugrichtung des Schach-Bauern oder im Rösselsprung, alles, um Langeweile und Frustration zu verhüten. Doch dieses siebzehn Kubik-Kilometer ausfüllende, im Meeresgrund wurzelnde und bis in die Stratosphäre ragende Bauwerk hatte sicherheitshalber auch eigene Heiratsvermittlungscomputer mit sadomasochistischem Programm (Ehen zwischen Sadisten und Masochistinnen oder umgekehrt sind statistisch gesehen am haltbarsten, weil jeder Partner das hat, wonach er sich sehnt); auch gab es ein Therapiezentrum für Selbstmordkandidaten. Hakayawa, der zweite Vertreter Japans, zeigte uns das Raummodell eines solchen Hauses im Maßstab 1:10 000. Das Haus hatte eigene Sauerstoffspeicher, aber weder Wasser- noch Nahrungsreserven; es war nämlich als geschlossenes System geplant und sollte alle Ausscheidungen wieder aufbereiten, sogar den aufgefangenen Todesschweiß und sonstige Ausflüsse des Körpers. Yahakawa, ein dritter Japaner, verlas die Liste aller aus den Abwässern des ganzen Bauwerks regenerierbaren Gaumenfreuden; dazu gehörten unter anderem künstliche Bananen, Lebkuchen, Shrimps und Austern, ja, sogar künstlicher Wein; trotz seiner Herkunft, die unliebsame Nebengedanken wachrief, schmeckte er angeblich so gut wie die besten Tropfen der Champagne. In den Saal gelangten formschöne Fläschchen mit Kostproben und für jeden ein Pastetchen in Klarsichtpackung. Doch niemand war sehr aufs Trinken erpicht, und die Pastetchen ließ man diskret unter die Sessel verschwinden, also behandelte ich meines ebenso. Nach dem ursprünglichen Plan hätte jedes solche Haus mittels gewaltiger Rotoren auch fliegen können, was Gesellschaftsreisen ermöglicht hätte. Davon wurde jedoch abgesehen, denn erstens sollten für den Anfang 900 Millionen solcher Häuser entstehen, zweitens war der Ortswechsel gegenstandslos: selbst wenn das Haus 1000 Ausgänge hätte, die alle zugleich benützt würden, kämen niemals alle Bewohner ins Freie, da ja neue Kinder geboren würden und heranwüchsen, ehe der letzte das Gebäude verlassen hätte.

Die Japaner schienen höchst entzückt von ihrem Projekt. Nach ihnen ergriff Norman Alpler das Wort, ein Vertreter der USA. Er beantragte siebenerlei Methoden zur Bremsung der Bevölkerungsexplosion, nämlich erstens propagandistisches und zweitens polizistisches Verekeln, ferner Ent-Erotisieren, Zwangszölibatisieren, Onanisieren, Subordinieren und bei Unverbesserlichkeit – Kastrieren. Ehepaare sollten sich um das Recht auf ein Kind bewerben, indem sie eigene Prüfungen aus drei Gebieten ablegten: Begattung, Erziehung und Vermeidung. Illegales Gebären sollte strafbar sein; für Vorsatz und Rückfall drohte den Schuldigen lebenslängliches Zuchthaus. Zu diesem Vortrag gehörten die hübschen Faltblätter und Abreißkuponblöcke, die wir mit dem Kongreßmaterial bekommen hatten. Hazelton und Alpler forderten neue Berufszweige, nämlich Ehen-Überwacher, Verbieter, Unterbrecher und Verstopfer. Unverzüglich wurde uns der Entwurf des neuen Strafgesetzbuches ausgehändigt; Befruchtung galt darin als ausnehmend schweres Verbrechen an der Gesellschaft. Während des Austeilens ereignete sich ein Zwischenfall: von der Zuhörergalerie warf jemand einen Molotow-Cocktail in den Saal. Der Rettungsdienst waltete seines Amtes (er stand bereit, diskret in den Wandelgängen versteckt), und die Saalordner verdeckten die zermalmten Sessel und Überreste schleunigst mit einer großen Nylonplane in fröhlichen formschönen Mustern. Wie hieraus ersichtlich, war an alles beizeiten gedacht worden. Zwischen den einzelnen Vorträgen versuchte ich die Landeszeitungen zu studieren. Ich verstand nur Brocken von ihrem Spanisch, doch erfuhr ich immerhin soviel: die Regierung hatte Panzertruppen um die Hauptstadt zusammengezogen, die gesamte Polizei in Alarmbereitschaft versetzt und den Ausnahmezustand verhängt. Im Saal wußte anscheinend niemand außer mir um die ernste Lage jenseits der Mauern. Um sieben Uhr war Pause, und man konnte etwas essen, natürlich jeder auf eigene Kosten. Ich aber kaufte mir auf dem Rückweg zum Saal die neueste Extraausgabe des Regierungsblattes »Nacion« und ein paar Nachmittagszeitungen der extremistischen Oppositionspartei. Trotz meiner Mühe mit dem Spanischen befremdete mich diese Lektüre: unmittelbar neben wohlig optimistischen Lobeshymnen auf die weltbeglückende Macht zwischenmenschlicher Liebesbande las ich Artikel mit Ankündigungen blutiger Zwangsmaßnahmen oder mit extremistischen Gegendrohungen in ähnlichem Ton. Diese Buntscheckigkeit wußte ich mir nicht anders zu erklären als unter Zuhilfenahme der Hypothese, manche Journalisten hätten an diesem Tage Leitungswasser getrunken und manche nicht. Das Organ der Rechten hatte naturgemäß weniger abbekommen, denn die Mitarbeiter verdienten besser als die der Opposition und stärkten sich während der Arbeit mit allerlei teurem Gebräu. Doch auch die Extremisten löschten ihren Durst nur ausnahmsweise mit Wasser, obwohl sie bekanntlich für höhere Leitsätze und Ideale zu Entsagungen bereit sind; man bedenke indessen, daß Quartzupio, ein Getränk aus dem vergorenen Saft der Pflanze Melmenole, in Costricana ungemein billig ist.

Wir sanken wieder in die weichen Klubsessel, und Professor Dringenbaum aus der Schweiz hatte kaum die erste Ziffer seiner Rede ausgesprochen, da erdröhnten dumpfe Detonationen. Das Gebäude bebte leicht in den Fundamenten, Fensterglas klingelte, aber die Optimisten riefen, es handle sich bloß um ein Erdbeben. Da die Gegenbewegler seit Debattenbeginn das Hotel abklapperten, neigte ich meinerseits zu der Annahme, eine dieser Gruppen habe in der Hall Petarden geschleudert. Stärkeres Krachen und Donnern brachte mich von dieser Ansicht ab; ich vernahm auch das unverkennbare Stakkato von Maschinengewehren. Selbstbetrug war nicht mehr möglich: Costricana hatte das Stadium der Straßenkämpfe erreicht. Aus dem Saal verflüchtigten sich zuerst die Presseleute. Von den Schüssen aufgescheucht wie von einem Wecksignal, rannten sie pflichteifrig auf die Straße. Professor Dringenbaum versuchte noch eine Weile lang die Vorlesung fortzusetzen, die in recht pessimistischer Tonart abgefaßt war: er behauptete, als nächste Phase unserer Zivilisation werde die Kannibalisation eintreten. Er berief sich auf die bekannte Theorie jener Amerikaner, nach deren Berechnung sich die Menschheit binnen vierhundert Jahren in eine lebende und mit Lichtgeschwindigkeit weiterwachsende Kugel von Leibern verwandeln wird, sofern auf der Erde alles so weitergeht wie bisher. Neue Explosionen unterbrachen jedoch den Vortrag. Die verunsicherten Futurologen verließen den Saal und mengten sich in der Hall unter die Teilnehmer des Kongresses der Befreiten Literatur, denen man ansah, daß sie der Ausbruch der Kämpfe mitten in Manifestationen vollkommener Gleichgültigkeit gegen die Übervölkerungsgefahr ereilt hatte. Sekretärinnen (die ich nicht als leichtgeschürzt bezeichnen möchte, da ihre Haut lediglich von aufgemalten Op-Art-Mustern bedeckt war) trugen den Redakteuren des Knopf-Verlags die griffbereiten Nargilehs und Wasserpfeifen nach, worin eine Modemischung aus LSD, Marihuana, Yohimbin und Opium brannte. Wie ich erfuhr, hatten die Vertreter der Befreiten Literatur soeben den Postminister der USA in effigie verbrannt; dieser verlangte nämlich in seinem Amtsbereich die Vernichtung allen Werbematerials für Massen-Blutschänderei. Unten in der Hall angelangt, benahmen sie sich sehr ungehörig, zumal wenn man den Ernst der Lage bedenkt. Kein öffentliches Ärgernis erregten nur diejenigen, die schon ganz erschlafft waren oder im Drogenrausch dahindämmerten. Die anderen belästigten die Hotel-Telefonistinnen, deren Geschrei aus den Zellen herübertönte, während ein Dickwanst im Leopardenfell mit erhobener Haschischfackel zwischen den Kleiderschragen der Garderobe wütete und alles dortige Personal anfiel. Mit Mühe bändigten ihn die Rezeptionsangestellten, unterstützt von den Pförtnern. Vom Treppenabsatz aus warf uns jemand gebündelte Farbfotos an den Kopf, die genau belegten, was zwei oder auch beträchtlich mehr Personen unter dem Einfluß der Brunst miteinander anfangen können. Als die ersten Panzer auf der Straße aufkreuzten und durch die Glasscheiben bestens sichtbar waren, entquoll den Fahrstühlen ein ganzes Heer verschreckter Streichholzschachtelsammler und Gegenbewegler. Nach allen Richtungen stiebend, zertrampelten diese Ankömmlinge die bewußten Vorspeisen und Pasteten; die Verleger hatten das Zeug nämlich mitgebracht und den Fußboden der Hall damit vollgestellt. Brüllend wie ein wildgewordener Büffel, drängte sich der bärtige Antipapist durchs Gewühl. Mit dem Kolben der Päpstlerin schlug er alle, die ihm in die Quere kamen. Wie ich selbst mit ansah, lief er vors Hotel, nahm Deckung hinter einer Ecke und eröffnete das Feuer auf vorüberhuschende Schattengestalten. Diesem echten Verfechter radikalst ausgeprägten Extremistentums war sichtlich im Grunde einerlei, auf wen er schoß. In der Hall tosten Angstgeschrei und Wollustgeschrei, und ein wahrer Hexenkessel entstand, als mit glasigem Rasseln die ersten riesigen Fensterscheiben zersprangen. Ich suchte meine Bekannten von der Presse. Als ich sah, daß sie auf die Straße hinausschlüpften, folgte ich nach, denn im Hilton wurde die Atmosphäre schon allzu erdrückend. Hinter dem Betonrand der Auffahrt, noch unter dem vorspringenden Hoteldach, knieten ein paar Bildreporter und filmten verbissen die Gegend, im übrigen ohne viel Sinn, denn vom Parkplatz des Hotels stoben Flammen und Rauchwolken auf; Autos mit ausländischen Kennzeichen waren wie üblich als erste in Brand gesteckt worden. Mauvin von AFP, der sich neben mir vorfand, lachte sich ins Fäustchen, weil er im Hertzschen Mietauto angereist war. Er reagierte mit Heiterkeitsausbrüchen auf den Anblick seines im Feuer brutzelnden Dodge; von den meisten amerikanischen Journalisten ließ sich derlei nicht behaupten. Mir fiel auf, wer den Auto-Brand zu löschen versuchte. Zumeist waren es ärmlich gekleidete alte Leutchen. In kleinen Eimern holten sie Wasser vom nahen Springbrunnen. Dies allein genügte, um mich stutzig zu machen. Undeutlich glitzerten Polizeihelme in der Ferne, an den Ausmündungen der Avenida del Salvation und der Avenida del Resurrection. Der Platz vor dem Hotel lag übrigens in diesem Augenblick verödet, ebenso wie die anschließenden Rasenflächen mit den dickstämmigen Palmen. Heiser feuerten die alten Leutchen einander zum Rettungswerk an, obwohl ihre matten Beine vor Altersschwäche zusammenknickten. Solche Hingabe kam mir schlechthin erstaunlich vor, bis ich mich mit eins auf die vormittäglichen Erlebnisse besann und meinen Verdacht sofort Mauvin anvertraute. Den Gedankenaustausch erschwerten das Geknatter der Schnellfeuerwaffen und der Baßton der Explosionen, der es immer wieder übertönte; eine Zeitlang las ich in dem klugen Gesicht des Franzosen vollkommene Verständnislosigkeit, doch plötzlich funkelten seine Augen auf. »Ah« – röhrte er, das Getöse überbrüllend. »Das Wasser, ja? Das Wasserleitungswasser? Großer Gott, erstmals in der Geschichte . . . *Kryptochemokratie!«* Sprach's und lief ins Hotel, wie von der Tarantel gestochen. Natürlich wollte er sich dort ans Telefon hängen; daß die Verbindung noch bestand, war ohnehin verwunderlich.

Als ich so auf der Rampe stand, gesellte sich Professor Trottelreiner zu mir, einer aus der Schweizer Futurologengruppe. Und nun geschah, was eigentlich längst fällig war: eine entwickelte Sperrkette von Polizisten mit Gasmasken, schwarzen Helmen, schwarzen Brustschilden und schußbereiter Waffe umstellte den ganzen Hilton-Komplex, um der Volksmenge zu trotzen, die just zwischen unserem Standort und den Bauten des Stadttheaters aus dem Park hervortauchte. Spezialeinheiten richteten mit großer Geläufigkeit die Minenwerfer, und ihre ersten Salven trafen die Menge. Die Explosionen waren merkwürdig schwach, entfesselten aber riesige weißliche Rauchwolken. Anfangs vermutete ich Tränengas; doch statt zu fliehen oder mit Wutgeheul zu antworten, strebte die Menge deutlich in diese Dunstschwaden hinein. Die Schreie verebbten rasch, dafür vernahm ich etwas wie Litaneien oder Singbetereien. Presseleute zappelten mit Kameras und Tonbandgeräten zwischen Sperrkette und Hoteleingang umher und zermarterten sich das Hirn, was da wohl im Gange sei. Ich aber ahnte bereits, daß die Polizei chemische Begütigungsmittel in Aerosol-Form anwandte. Doch aus der Avenida del Ich-weiß-nicht-mehr-was kam eine andere Kolonne, der diese Granaten nichts anhaben konnten. Zumindest schien es so; später hieß es, die Kolonne sei weiter vorgerückt, um sich mit der Polizei zu verbrüdern und nicht, um sie zu zerfleischen; doch wer hätte im allgemeinen Wirrwarr so feinen Unterschieden nachgehen können? Die Mörser sprachen in Salven, dann meldeten sich die Wasserwerfer mit ihrem eigentümlichen Rauschen und Zischen, schließlich setzten Schnellfeuerserien ein, und im Nu schwirrte die Luft vom krähenden Schall der Geschosse. Damit war nun nicht zu spaßen; zwischen Haynes von der »Washington Post« und Stantor warf ich mich hinter das Betonmäuerchen der Auffahrt wie hinter die Brustwehr eines Schützengrabens. In kurzen Worten klärte ich die beiden auf. Anfangs zürnten sie mir, weil ich eine so schlagzeilenträchtige Enthüllung einem Reporter von AFP als erstem verraten hatte. Im Renntempo robbten sie zum Hotel, kehrten aber bald mit enttäuschter Miene zurück: die Verbindung bestand nicht mehr. Stantor hatte jedoch den Offizier abgefangen, der die Hotelverteidigung leitete. Wie dieser verlauten ließ, sollten demnächst Flugzeuge aufkreuzen, bestückt mit *Bemben*, das heißt, mit ›Bomben menschlicher Brüderlichkeit‹ (BMB). Alsbald hieß man uns den Platz verlassen, während die Polizisten samt und sonders Gasmasken mit Spezialfilter aufsetzten. Auch an uns wurden solche Masken verteilt.

Es traf sich gut, daß Professor Trottelreiners Spezialgebiet gerade die psychotrope Pharmakologie ist. Er warnte, ich solle keinesfalls die Gasmaske benützen, da sie bei stärkerer Aerosol-Konzentration keinen Schutz mehr biete. Es komme dann zum sogenannten ›Sprung durchs Filter‹, und in einem einzigen Augenblick inhaliere man eine größere Dosis als bei gewöhnlichem Einatmen der ungefilterten Außenluft. Auf meine Frage antwortete der Professor, ein Sauerstoffgerät sei das einzige Rettungsmittel. Wir gingen also zur Hotelrezeption, trafen den letzten Angestellten noch auf seinem Posten, erhielten Auskunft und fanden daraufhin die Brandschutzräume. Wirklich fehlte es dort nicht an Drägerschen Sauerstoff-Kreislaufgeräten. Solcherart gesichert, kehrte ich mit dem Professor auf die Straße zurück, als eben der gellende Pfiff durchschnittener Luft das Nahen der ersten Flugzeuge anzeigte.

Bekanntlich ist das Hilton wenige Augenblicke nach dem Beginn des Luftangriffs irrtümlich *bembardiert* worden. Die Folgen erwiesen sich als entsetzlich. Zwar trafen diese *Bemben* nur jenen entlegenen Teil des niedrigeren Traktes, wo die Vereinigung der Verleger Befreiter Literatur in gemieteten Schauständen eine Ausstellung eingerichtet hatte, und vorerst kam kein Hotelgast zu Schaden. Doch scheußlich erwischte es dafür die Polizei, die uns bewachte. In ihren Reihen erlangten die Anfälle menschlicher Brüderlichkeit binnen einer Minute epidemisches Ausmaß. Vor meinen Augen rissen sich die Polizisten die Maske vom Gesicht, zerflossen in heiße Reuetränen, flehten die Demonstranten kniend um Vergebung an, drängten ihnen gewaltsam die tüchtigen Knüppel auf und bettelten um möglichst feste Hiebe. Und als die Aerosol-Verdichtung nach neuen *Bemben*-Treffern weiter zunahm, stürzten alle Polizisten wild durcheinander, um alles zu liebkosen und anzuhimmeln, was ihnen unterkam. Der Ablauf der Ereignisse konnte erst etliche Wochen nach der ganzen Tragödie rekonstruiert werden, und auch dann nur teilweise. Um den drohenden Putsch im Keim zu ersticken, hatte die Regierung in der Früh an die 700 Kilogramm Doppelsüßsaures Gutetat und Schmusium mit Felixol in den Wasserturm werfen lassen. Die Zuleitung zu Polizei- und Armeekasernen war vorsorglich abgesperrt worden, doch aus Mangel an Sachverständigen mußte die Aktion wirkungslos verpuffen: das Phänomen des Aerosoldurchsprungs durchs Filter war nicht miteinberechnet worden, geschweige denn der höchst unterschiedliche Trinkwasserverbrauch der verschiedenen sozialen Gruppen.

Die Bekehrung der Polizei überraschte demnach die regierenden Kräfte grausamst, zumal da laut Auskunft Professor

Trottelreiners die Wirkung der Benignatoren um so gewaltiger ist, in je schwächerem Grade der ihnen ausgesetzte Mensch bisher mit natürlichen angeborenen Regungen des Wohlwollens und der Güte ausgestattet war. Daraus erklärt sich auch eine weitere Tatsache: nachdem zwei Flugzeuge der nächsten Welle den Regierungssitz *bembardiert* hatten, begingen viele führende Polizei- und Armeefunktionäre Selbstmord; sie hielten die gräßlichen Gewissensbisse nicht aus, die sich auf die bisher betriebene Politik bezogen. Kurz vor seinem Freitod durch einen Revolverschuß ließ im übrigen General Diaz höchstselbst die Gefängnistore öffnen und alle politischen Häftlinge freigeben. Somit ist leicht zu verstehen, welch ausnehmend intensive Kampftätigkeit sich im Laufe der Nacht entfalten mußte. Die fern von der Stadt gelegenen Luftstützpunkte waren ja nicht mitbefallen, und die dortigen Offiziere hatten Befehle erhalten und befolgten sie bis zuletzt, während militärische und polizeiliche Kontrollorgane in luftdichten Bunkern bald merkten, was sich abspielte, und zu den äußersten Mitteln griffen, die ganz Nounas in die Raserei der Gefühlsverwirrung stürzten. Von alledem ahnten wir im Hilton natürlich nichts. Es war fast elf Uhr Nacht, als im Schlachtenpanorama des Platzes und der umliegenden Palmengärten die ersten Panzereinheiten der Armee aufzogen. Ihnen oblag es, die von der Polizei entwickelte menschliche Brüderlichkeit abzuwürgen; dies taten sie denn auch unter reichlichem Blutvergießen. Der arme Alphonse Mauvin stand dicht neben der Stelle, wo eine begütigende Granate platzte. Die Wucht der Explosion riß ihm die Finger der linken Hand und das linke Ohr ab, er aber beteuerte, die Hand sei ihm schon lang zu nichts nütze gewesen, und das Ohr sei überhaupt nicht der Rede wert; wenn ich nur wolle, werde er mir sogleich das zweite verehren. Und er zückte sogar sein Taschenmesser, aber ich entwand es ihm behutsam und führte ihn zum improvisierten Verbandplatz, wo sich die Sekretärinnen der Befreiten Verleger seiner annahmen, im übrigen aufgrund der chemischen Bekehrung allesamt heulend wie die Schloßhunde. Die Damen hatten sich angekleidet, aber das genügte ihnen nicht; sie hatten sich auch behelfsmäßig das Gesicht verschleiert, um niemanden zur Sünde zu verlocken. Manche waren so tief erschüttert, daß sie sich das Haar dicht über der Haut abschnitten. Bedauernswerte Geschöpfe! Bei meiner Rückkehr aus dem Verbandsaal hatte ich das fatale Pech, auf eine Gruppe von Verlegern zu stoßen. Ich erkannte sie nicht gleich. Sie waren in alte Jutesäcke eingehüllt, verwendeten Stricke als Gürtel und als Geißelwerkzeug, knieten unter Barmherzigkeitsgebrüll vor mir nieder und flehten mich an, sie alle zur Strafe für die sittliche Unterhöhlung der Gesellschaft ordentlich auszupeitschen. Wie groß war mein Erstaunen, als ich genauer hinsah! In diesen Geißelbrüdern erkannte ich sämtliche Mitarbeiter des »Playboy« einschließlich des Chefredakteurs. Gerade er ließ mich im übrigen nicht entschlüpfen, so sehr brannte ihn das Gewissen. Mich baten sie deshalb, weil sie begriffen, daß ihnen nur ich allein dank meinem Sauerstoffgerät ein Haar krümmen konnte. Um des lieben Friedens willen nahm ich es endlich auf mich, ihre Bitten zu erfüllen, wenn auch ungern. Mir erschlaffte der Arm, und es wurde stickig unter der Sauerstoffmaske; ich fürchtete, die Flasche zu verbrauchen und keine volle neue mehr zu finden; sie aber standen Schlange und konnten es kaum erwarten, an die Reihe zu kommen. Um mich von ihnen loszueisen, befahl ich ihnen zuletzt, all die riesigen Farbtafeln einzusammeln, die der Luftstoß des im Seitentrakt gelandeten *Bemben*-Treffers überall in der Hall verstreut hatte, so daß sie aussah wie Sodom und Gomorra zusammengenommen. In meinem Auftrag errichteten die Redakteure aus diesem Papierwust einen riesigen Stapel vor dem Haustor und zündeten ihn an. Leider hielt die im Park stationierte Artillerie diesen Opferbrand für ein abgekartetes Zeichen und nahm uns unter konzentrierten Beschuß. Recht kläglich trollte ich mich, nur um im Tiefparterre Herrn Harvey Simworth in die Hände zu fallen, dem Schriftsteller, der die Idee gehabt hat, Kindermärchen zu pornographischen Texten aufzumöbeln. Er hat »Das lange Rotkäppchen« und auch »Die sieben miteinander schlafenden Brüder« verfaßt und dann mit umgekrempelter Weltklassik ein Vermögen gemacht. Dabei hat er sich einer simplen Masche bedient: die Buchtitel sind den Originalwerken entlehnt, enthalten aber zusätzlich die Worte: »Das Sexualleben . . .« (z. B.: ». . . der Heinzelmännchen«, ». . . Hänsels mit Gretel«, ». . . Aladins mit der Lampe«, ». . . Gullivers«, ». . . der Alice im Wunderland«, usw. usw. bis ins Endlose). Vergeblich suchte ich ihn abzuwimmeln, da ich keinen Finger mehr rühren konnte. In Anbetracht dessen müsse ich ihn wenigstens mit Füßen treten, schrie er schluchzend. Was hätte ich tun sollen? Ich ließ mich nochmals erweichen. Nach all diesen Erlebnissen war ich körperlich so erschöpft, daß ich mit Müh und Not die Brandschutzräume erreichte. Zum Glück fand ich dort noch einige unangetastete Sauerstoffflaschen. Auf einem zusammengerollten Feuerwehrschlauch saß Professor Trottelreiner, vertieft in die Lektüre futurologischer Referate und hoch erfreut, weil er in seiner Laufbahn eines hauptberuflichen Kongreßbesuchers endlich ein wenig Zeit erübrigen konnte. Die *Bemben*-Angriffe waren einstweilen in vollem Gange. Zur Behandlung schwerer Fälle von Liebesschock (etwa beim Anfall allgemeinen Wohlwollens, der mit gräßlichen Zärtlichkeitszuckungen einhergeht) empfahl Professor Trottelreiner Breiumschläge und große Portionen Rizinusöl mit anschließender Magenspülung.

Im Pressezentrum saßen Stantor, Wooley vom »Herald«, Sharkey und ein damals für »Paris Match« tätiger Bildreporter namens Küntze. Sie hatten die Masken aufgesetzt und spielten Karten, denn ohne Fernverbindung blieb nichts Besseres zu tun. Als ich eben zu kiebitzen anfing, erschien eilends der Doyen des amerikanischen Journalismus, Joe Missinger. Er rief uns zu, an die Polizei seien Furiasol-Pastillen verteilt worden, die den Benignatoren entgegenwirken sollten. Das brauchte man uns nicht zweimal zu sagen; wir rannten in die

Keller, doch bald erwies sich das Gerücht als falsch. Wir gingen also vors Hotel. Wehmütig stellte ich fest, daß ihm oben einige Dutzend Stockwerke fehlten. Eine Schuttlawine hatte mein Appartement samt all seinem Inhalt hinweggerafft. Drei Viertel des Himmels waren vom Feuerschein erfaßt. Ein breitschultriger Polizist mit Helm jagte einem Halbwüchsigen nach und schrie: »Halt! Herrgottnochmal, halt! Versteh doch, *ich liebe dich!«* Aber der Junge blieb taub für alles Zureden. Der Kampflärm war aufgeflaut, und berufliche Wißbegier juckte die Journalisten. Wir bewegten uns also vorsichtig auf den Park zu. Unter starker Beteiligung der Geheimpolizei wurden dort Messen zelebriert: schwarze, weiße, rosarote und gemischte. In der Nähe stand eine ungeheure Menschenmenge, heulte wie eine Schar von Schloßhunden und hielt hoch über die Köpfe eine Tafel mit der riesigen Aufschrift: *Schmäht uns! Wir sind Lockspitzel!«* Nach der Unzahl dieser bekehrten Judasse zu schließen, müssen die Staatsausgaben für deren Planstellen beträchtlich gewesen sein und sich auf Costricana wirtschaftliche Lage ungünstig ausgewirkt haben. Als wir zum Hilton zurückkehrten, erblickten wir davor einen anderen Massenauflauf; die Schäferhunde der Polizei hatten sich gleichsam in Bernhardiner verwandelt; sie holten aus dem Hotelbuffet die teuersten Alkoholika und labten damit jedermann ohne Unterschied. Im Buffet selbst aber sang eine buntgemischte Schar von Polizisten und Gegenbeweglern bald umstürzlerische Lieder und bald staatsträgerische. Ich schaute in den Keller, doch dort sah ich nichts als Bekehrungs-, Verzärtelungs-, Zerknirschungs- und Verzückungsszenen. Angewidert suchte ich die Brandschutzräume auf; ich wußte ja, daß dort Professor Trottelreiner saß. Zu meiner Verwunderung hatte auch er sich drei Bridgepartner gesucht. Dozent Quetzalcoatl spielte das Trumpf-As aus; dies erzürnte Trottelreiner so sehr, daß er die Tischrunde verließ. Mit den anderen suchte ich ihn zu beschwichtigen; da guckte Sharkey zur Tür herein, um uns mitzuteilen, daß er mit seinem Transistorradio eine Ansprache General Aquillos aufgeschnappt habe. Dieser hatte konventionelle Bombenangriffe angekündigt, die den Aufruhr in der Stadt blutig ersticken sollten. Nach kurzer Beratung beschlossen wir, ins allerunterste Stockwerk des Hilton auszuweichen, noch unter die Luftschutzkeller, und zwar in die Kanalisationsanlagen. Da die Hotelküche in Trümmer gesunken war, gab es nichts zu essen; die ausgehungerten Gegenbewegler, Streichholzschachtelsammler und Verleger verschlangen potenzsteigernde Futtermittel, Schokoladepastillen und Gelees, die sie im verödeten *Centro Erotico* im Eckbau eines Hoteltraktes gefunden hatten. Ich sah die Gesichter alle Farben spielen, als sich die aufgeilenden Liebstöckel und Aphrodisiaca in den Adern mit den Benignatoren vermischten. Wohin führte wohl diese chemische Eskalation? Ein schauriger Gedanke! Ich sah Futurologen in Verbrüderung mit indianischen Schuhputzern, Geheimagenten in den Armen des Hotelpersonals, riesige fette Ratten in holder Eintracht mit Katzen; überdies beleckten die Polizeihunde jedermann ohne Unterschied. Wir rückten nur langsam voran, denn wir mußten uns mühselig durchs Gewühl zwängen. Die Wanderung strengte mich an, zumal da ich als Schlußmann des Zuges die Hälfte unserer Sauerstoffvorräte trug. Gestreichelt, auf Hände und Füße geküßt, angebetet, in Umarmungen und Liebkosungen erstickend, stapfte ich stur drauflos. Endlich vernahm ich einen Triumphschrei Stantors. Er hatte den Einstieg in den Kanal gefunden. Mit letztem Aufgebot aller Kräfte hoben wir den schweren Deckel und kletterten nacheinander in den Betonschacht. Als Professor Trottelreiner auf einer Sprosse der eisernen Leiter ausglitt, stützte ich ihn und fragte, ob er sich den Kongreß so vorgestellt habe. Er aber antwortete nicht, sondern versuchte mir die Hand zu küssen, was sogleich meinen Argwohn wachrief. Es erwies sich denn auch, daß dem Professor die Maske verrutscht war, so daß er einen Hauch güteverpesteter Luft eingeatmet hatte. Sofort applizierten wir Foltern und reine Sauerstoffatmung sowie Hayakawas Referat, das wir laut vorlasen; dies war

Howlers Idee. Der Professor kam wieder zu sich, bekundete dies durch eine Serie saftiger Flüche und marschierte mit uns weiter. Bald erblickten wir im matten Schein der Taschenlampe die öligen Flecken auf dem schwarzen Abwasserspiegel. Dieser Anblick war uns hochwillkommen, denn zehn Meter Erde trennten uns nun vom Boden der *umbembten* Stadt. Wie staunten wir, als sich herausstellte, daß schon vor uns jemand an diese Zuflucht gedacht hatte! Auf der Betonschwelle saß die vollzählige Hilton-Direktion. Die umsichtigen Manager hatten sich mit aufblasbaren Plastikfauteuils aus dem Hotelschwimmbad eingedeckt, ferner mit Radioempfängern, Schweppes, einer Batterie Whisky und einem ganzen kalten Buffet. Da auch diese Gruppe Sauerstoffgeräte benützte, fiel ihr nicht ein, mit uns teilen zu wollen. Doch wir nahmen drohende Haltung an, und da wir in der Überzahl waren, konnten wir die Gegner umstimmen. In nicht ganz freiwilliger Eintracht begannen wir die Hummer zu verschmausen. Mit dieser im Programm nicht vorgesehenen Mahlzeit endete der erste Tag des Futurologischen Kongresses.

Von den Ereignissen des stürmischen Tages ermattet, bereiteten wir uns das Nachtlager unter mehr als spartanischen Bedingungen: unser Schlafplatz war aus Beton; es war nur ein schmaler Trittsteig, der die Spuren seines kanalräumerischen Daseinszweckes an sich trug. So ergab sich als erstes das Problem, die Aufblas-Fauteuils gerecht zu verteilen, mit denen sich die vorsorgliche Hilton-Direktion ausgerüstet hatte. Es gab sechs Fauteuils, und zwölf Personen hielten sie besetzt, denn jedes Mitglied des sechsköpfigen Hotel-Vorstands beherbergte eine Sekretärin auf der Liegestatt. Wir aber, die Kanalexpedition unter Stantors Führung, wir waren unser fünfundzwanzig, darunter eine Futurologengruppe mit den Professoren Dringenbaum, Hazelton und Trottelreiner, eine Gruppe von Presseleuten und CBS-Fernsehreportern sowie zwei unterwegs angegliederte Personen, nämlich ein kräftiger Mann in Lederjacke und Knickerbockers, den niemand kannte, und die kleine Jo Collins, die persönliche Hilfskraft eines »Playboy«-Redakteurs. Stantor wollte ihre chemische Bekehrung nutzen; ich hatte ihn schon unterwegs mit ihr über das Erstveröffentlichungsrecht an ihren Memoiren verhandeln hören. Bei siebenunddreißig Anwärtern auf sechs Fauteuils verschärfte sich die Lage zusehends. Wir flankierten die begehrten Ruhestätten und betrachteten einander scheel von unten; dazu zwangen uns im übrigen die Sauerstoffmasken. Jemand schlug vor, wir alle sollten sie auf ein gegebenes Zeichen abnehmen. Freilich hätten wir auf diese Weise den Anlaß der Zwistigkeiten beseitigt, da uns die Selbstlosigkeit übermannt hätte. Auf die Verwirklichung des Plans war trotzdem niemand erpicht. Nach langem Streit kam es endlich zum Kompromiß. Wir einigten uns auf das Los und auf dreistündige Schlafschichten. Als Lose dienten die Kupons des schönen Begattungsbüchleins, das manche von uns noch bei sich trugen. Mich traf das Los, während der ersten Schicht zu schlafen und das Lager (oder vielmehr den Fauteuil) mit Professor Trottelreiner zu teilen, der dürrer und sogar knochiger ist, als mir damals lieb sein konnte. Die nächsten, die an die Reihe kamen, weckten uns brutal. Während sie die vorgewärmten Liegestätten einnahmen, kauerten wir am Kanalrand und überprüften besorgt den Druck in den Gasflaschen. Es war bereits klar, daß uns in wenigen Stunden der Sauerstoff ausgehen mußte. Die in Aussicht stehende Versklavung durch Güte schien unabwendbar und stimmte uns alle düster. Die Gefährten wußten, daß ich diese Seligkeit schon verkostet hatte; begierig fragten sie nach meinen Eindrücken. Das sei gar nicht so arg, beteuerte ich, aber ohne echte Überzeugung. Schläfrigkeit plagte uns. Um nicht in den Kanal zu fallen, banden wir uns mit allen tauglichen Mitteln an der Eisenleiter fest, die vom Deckel herabführte. Ein Explosionsgeräusch, stärker als alle bisherigen, riß mich aus unruhigem Schlummer. Ich sah mich in dem Halbdunkel um, das uns umgab; aus Sparsamkeit hatten wir nämlich die Taschenlampen bis auf eine einzige ausgeknipst. Aus dem

Kanal krochen große dicke Ratten an Land. Das war insofern merkwürdig, als sie im Gänsemarsch auf den Hinterpfoten gingen. Ich kniff mich, aber das war kein Traum. Ich weckte Professor Trottelreiner und zeigte ihm das Phänomen; er wußte nicht, was er davon halten sollte. Die Ratten gingen paarweise und beachteten uns nicht; jedenfalls suchten sie uns nicht abzulecken. Der Professor meinte, dies sei immerhin ein gutes Zeichen; die Luft sei höchstwahrscheinlich rein. Vorsichtig nahmen wir die Masken ab. Die beiden Reporter zu meiner Rechten schliefen bestens; die Ratten spazierten weiterhin auf zwei Beinen; ich aber und der Professor, wir begannen zu niesen, so sehr juckte uns die Nase. Ich hielt dies zunächst für die Wirkung der Kanalgerüche – bis ich erstes Wurzelwerk wahrnahm. Ich neigte mich über die eigenen Beine. Jeder Irrtum war ausgeschlossen! Ich trieb Wurzeln aus, ungefähr von den Knien abwärts; höher oben aber ergrünte ich. Sogar die Arme schlugen schon aus; die Knospen öffneten sich rasch, wuchsen zusehends und schwollen, freilich ohne rechte Farbe, weißlich, wie dies bei Kellerpflanzen vorkommt. Ich spürte, daß ich alsbald Früchte tragen sollte. Ich wollte Trottelreiner fragen, wie er sich dies erkläre, aber ich mußte die Stimme erheben, weil er so laut rauschte. Auch die Schläfer ähnelten einer gestutzten Hecke mit lilafarbenem und scharlachrotem Blütenflor. Die Ratten rupften Blätter, fuhren sich mit den Pfoten über den Schnurrbart und wuchsen. – Ein bißchen noch – dachte ich –, dann wird man aufsitzen können. – Ein Baum strebt nun mal zur Sonne, so auch ich. Wie aus ungeheurer Ferne drang rhythmisches Dröhnen herüber, etwas stürzte ein, es krachte, das Echo lief die Gänge entlang, ich begann mich zu röten, dann wurde ich golden, zuletzt warf ich Blätter ab. – Was, schon Herbst? – staunte ich. – So bald?

Doch dann wäre es an der Zeit, wieder abzureisen! – Ich entwurzelte mich also und spitzte zur Kontrolle die Ohren. Nicht zu leugnen: die Schlachthörner schmetterten. Der gesattelte Ratz, selbst unter Reittieren ein seltenes Prachtexemplar, wandte den Kopf nach mir um und besah mich unter schräg hängenden Liddeckeln hervor mit den traurigen Augen Professor Trottelreiners. Jäher Zweifel peinigte mich: ist es der Professor, der einer Ratte ähnelt, so schickt es sich nicht, ihn zu besteigen; wenn hingegen eine simple Ratte dem Professor ähnlich sieht, dann kann mir das gleichgültig sein . . . Aber die Schlachthörner schmetterten. Unbewehrt und im Sprung saß ich auf und fiel in den Kanal. Erst dieses ekle Bad ernüchterte mich. Bebend vor Abscheu und Wut, kroch ich hinaus auf den Trittsteig. Die Ratten machten mir widerwillig ein wenig Platz. Noch immer spazierten sie auf zwei Beinen. – Ist ja klar! – durchblitzte es mich. – Die Halluzinogene! Wenn ich mich für einen Baum gehalten habe, dann können sich die da genausogut für Menschen halten! – ich tastete nach der Sauerstoffmaske, um sie schleunigst aufzusetzen. Als ich sie gefunden und übers Gesicht gestreift hatte, atmete ich dennoch unruhig. Wie sollte ich mich vergewissern, ob es eine rechtschaffene Maske sei oder nur ihr Trugbild?

Plötzlich wurde es hell um mich her. Als ich den Kopf hob, sah ich die geöffnete Luke und darin einen amerikanischen Armeesergeanten, der mir die Hand entgegenstreckte.

»Schneller!« – rief er. »Schneller!«

»Wie? Sind Hubschrauber angekommen?!« – ich sprang auf die Beine.

»Kommt herauf! Schnell!« – rief er.

Auch andere rafften sich schon auf. Ich erstieg die Leiter.

»Na endlich!« – keuchte Stantor tief unter mir.

Oben leuchtete der Brand. Ich blickte umher. Von Hubschraubern keine Spur! Nichts als ein paar Soldaten! Sie trugen Kampfhelme und den Leibgurt der Fallschirmspringer und reichten uns eine Art Schirrzeug.

»Was ist das?« – fragte ich staunend.

»Schneller! Schneller!« – rief der Sergeant.

Die Soldaten begannen mich zu satteln. – Halluzination! – dachte ich.

»Nicht doch« – sagte der Sergeant. »Das sind Sprungholfter. Unsere Ein-Mann-Kleinraketen. Der Tank ist im Tornister. Fassen Sie das da!« Er gab mir einen Hebel in die Hand, während mir von hinten ein Soldat den Bauchriemen straff zuzog. »Gut so!«

Der Sergeant klopfte mir auf die Schulter und drückte auf ein Ding an meinem Tornister. Ein scharfer langgezogener Pfiff erklang; aus der Düse des Tornisters schoß Dampf oder weißer Rauch und wehte mir um die Beine; zugleich entschwebte ich wie ein Federchen in die Luft.

»Aber ich verstehe das nicht zu lenken!« – rief ich, während ich lotrecht in den schwarzen Himmel emporschoß, den der Feuerschein drohend durchzuckte. »Das erlernen Sie bald! Azimut auf den Poo-larstern!« – schrie der Sergeant herauf.

Ich blickte in die Tiefe unter meinen Füßen. Ich flitzte just über den gewaltigen Schuttberg hinweg, der vor kurzem ein Hilton-Hotel gewesen war. Winzig klein regte sich daneben ein Häuflein Menschen; in weiterer Ferne brodelte ein riesenhafter Gürtel blutig züngelnder Flammen. Vor diesem Hintergrund erschien ein runder schwarzer Fleck: mit aufgespanntem Regenschirm startete Professor Trottelreiner. Ich betastete mich und prüfte, ob Gurte und Strippen standhielten. Der Tornister gluckerte, dudelte, pfiff. Der dampfende Rückstoßstrahl brannte mir immer heißer auf die Waden, ich hob also die Beine an, so hoch ich konnte, aber dadurch büßte ich die Stabilität ein, und eine gute Minute lang drehte ich mich in der Luft um mich selbst wie ein plumper Kreisel. Dann muß ich unabsichtlich durch einen Hebeldruck die Stellung der Ausströmdüsen verändert haben, denn ein einziger Schwung beförderte mich in eine waagrechte Flugbahn. Die Reise wurde nun sogar recht angenehm; sie hätte mir weit besser gefallen, wenn ich wenigstens gewußt hätte, wohin ich flog. Ich werkte mit dem Hebel, zugleich versuchte ich den unter mir liegenden Raum vollends zu überblicken. Hausruinen reckten schwarze Zacken vor den Fronten der Brände. Ich sah blaue, rote und grüne Feuerfäden von der

Erde zu mir heraufschweben; etwas krähte neben meinem Ohr; ich begriff, daß auf mich geschossen wurde. Schneller, schneller voran! – ich drückte den Hebel. Der Tornister krächzte, pfiff wie eine schadhafte Dampflok, goß mir siedende Brühe auf die Beine und puffte mich, daß ich kopfunter-kopfüber durch den pechschwarzen Himmelsraum wirbelte. Wind pfiff mir um die Ohren; ich fühlte, daß mir das Klappmesser, die Brieftasche und sonstiger Kleinkram aus der Tasche rieselten. Ich tauchte nach den eingebüßten Gegenständen, doch ich verlor sie aus den Augen. Ich war allein unter den ruhigen Sternen; rastlos zischend, rauschend und ratternd, flog ich dahin. Ich bemühte mich, den Polarstern aufzufinden und anzusteuern. Als mir dies gelungen war, hauchte der Tornister die Seele aus, und mit zunehmender Geschwindigkeit stürzte ich ab. Schon war ich dicht über der Erde und sah die schemenhaften Biegungen einer Landstraße und Dächer und die Schatten von Bäumen – da spie er zum Glück ein letztes Restchen Dampf. Dieser Rückstoß bremste meinen Sturz, und ich fiel recht gelinde ins Gras. In der Nähe lag jemand im Graben und stöhnte. – Das wäre wohl seltsam – dachte ich –, wenn sich dort der Professor wiederfände! – Er war es wirklich. Ich half ihm auf die Beine. Er betastete sich von oben bis unten und maulte, er habe die Brille verloren. Sonst war ihm nichts passiert. Er bat mich, seinen Tornister abschnallen zu helfen, kniete dann darauf nieder und zog etwas aus dem Seitenfach: allerlei Stahlrohre mit einem Rad.

»Und jetzt Ihres . . .«

Auch aus meinem Tornister förderte er ein Rad zutage. Er bastelte ein Weilchen herum und rief zuletzt: »Aufsitzen! Wir fahren ab!«

»Was ist das? Wohin?« – fragte ich entgeistert.

»Ein Tandem. Nach Washington« – entgegnete knapp der Professor, der schon den Fuß aufs Pedal setzte.

–Halluzination! – durchzuckte es mich.

»Warum nicht gar!« – protestierte Trottelreiner. »Die übliche Ausrüstung der Luftlandetruppen!«

»Schön, aber wieso kennen Sie sich damit aus?« – fragte ich und bestieg den hinteren Sattel. Der Professor stieß ab. Wir fuhren durchs Gras, bis Asphalt vor uns auftauchte.

»Ich arbeite für die US Air Force!« – rief der Professor zurück, verbissen die Pedale tretend.

Soviel ich mich entsann, trennten uns von Washington noch Peru und Mexiko; Kleinigkeiten wie Panama will ich gar nicht erwähnen.

»Mit dem Fahrrad schaffen wir das nicht!« – schrie ich gegen den Wind.

»Nur bis zum Sammelpunkt!« – rief der Professor zurück.

War er etwa gar nicht der gewöhnliche Futurologe, für den er sich ausgab? In eine feine Zwickmühle war ich da getapst! Und was hatte ich in Washington verloren? Ich begann zu bremsen.

»Was fällt Ihnen ein? Kurbeln Sie gefälligst!« rügte mich der Professor, über der Lenkstange buckelnd.

»Nein! Wir halten! Ich steige ab!« – antwortete ich entschieden.

Das Tandem wackelte und hielt an. Ein Bein auf den Boden stützend, wies der Professor mit höhnischer Geste in die Finsternis, die uns umgab.

»Wie Sie wünschen! Gott befohlen!« – und schon fuhr er ab.

»Vergelt's Gott!« – rief ich und blickte ihm nach. Das rote Rücklichtfünkchen entschwand im Dunkel, ich aber setzte mich verunsichert auf einen Meilenstein, um meine Lage zu überdenken.

Da stach mich etwas in die Wade. Ich griff unwillkürlich hin, ertastete allerlei Zweige und brach einige ab. Es tat weh. – Wenn das meine eigenen Schößlinge sind – sagte ich mir –, dann bin ich zweifellos noch in der Halluzination befangen! – Ich bückte mich, um dies nachzuprüfen, doch plötzlich traf mich ein heller Schein: aus der Kurve blitzten silbrige Halogenlichter hervor, der riesige Umriß eines Autos bremste ab, die Tür öffnete sich. Drinnen glühten grüne, goldene und blaue Lichtbänder auf dem Armaturenbrett. Matter Abglanz umfloß zwei Frauenbeine in Nylons; goldschuppig beschuhte Füße ruhten auf den Pedalen; ein dunkles Gesicht mit mohnroten Lippen neigte sich mir entgegen; Brillanten funkelten an den Fingern, die das Lenkrad hielten.

»Sie wollen mitgenommen werden?«

Ich stieg ein, zu verblüfft, um gleich an meine Zweige zu denken. Heimlich befühlte ich die eigenen Beine. Da waren bloß Disteln hängengeblieben.

»Jetzt gleich?« – sprach die dunkle, sinnlich getönte Stimme.

»Jetzt gleich *was*?« – fragte ich verdattert.

Die Frau zuckte die Achseln. Das wuchtige Auto schoß los, sie berührte eine Taste, Finsternis sank herab, nur der Lichtfleck auf der Straße flitzte vor uns her. Dem Armaturenbrett entströmte eine vogelhaft schmetternde Melodie. – Das ist dennoch seltsam – dachte ich. – Es reimt sich nicht zusammen. Weder Hand noch Fuß. Zwar keine Zweige, sondern nur Disteln, aber dennoch, dennoch . . .!

Ich musterte die fremde Frau. Sie war unleugbar schön, von zugleich lockender, dämonischer und pfirsichhafter Schönheit. Aber statt des Rocks trug sie Federn. Straußfedern? Halluzination? Obzwar heutzutage die Damenmode . . . Ich wußte nicht, was ich denken sollte. Die Landstraße war leer. Wir brausten dahin, daß die Tachometernadel dem Rand der Skala zustrebte. Plötzlich verkrallte sich mir von hinten eine Hand ins Haar. Ich zuckte. Finger mit spitzen Fingernägeln kratzten mich am Hinterhaupt, eher zärtlich als mörderisch.

»Wer da? Was gibt's?« – ich versuchte mich zu befreien, aber ich konnte den Kopf nicht bewegen. »Lassen Sie mich gefälligst los!«

Lichter tauchten auf. Es war ein großes Haus. Kies knirschte unter den Reifen. Das Auto bog ab, schliff sich am Randstein, hielt an.

Die Hand, die mich noch immer beim Schopf hielt, gehörte zu einer zweiten Frau. Die war schwarz gekleidet, eine bleiche schlanke Person mit dunkler Brille. Die Wagentür sprang auf.

»Wo sind wir?« – fragte ich.

Schweigend stürzten sich beide auf mich. Die am Lenkrad stieß mich hinaus, die andere stand schon auf dem Gehweg und zog mich. Ich kroch aus dem Auto. Im Haus wurde gefeiert; ich hörte Musik und Trinkergeschrei. Der Springbrunnen an der Auffahrt schillerte gelb und purpurn im Widerschein der Fenster. Meine Begleiterinnen hakten sich fest bei mir ein.

»Aber ich habe keine Zeit« – murmelte ich.

Sie achteten gar nicht auf meine Worte. Die Schwarze neigte sich und hauchte mir mit heißem Atem geradewegs ins Ohr:

»Hu!«

»Wie bitte?«

Wir waren schon vor der Haustür. Beide lachten mich an oder eigentlich aus. Alles verleidete mir die beiden, außerdem wurden sie immer kleiner. Knieten sie? Nein! Ihre Beine befiederten sich. – Na also – sagte ich mir nicht ohne ein Gefühl der Erleichterung – also doch eine Halluzination!

»Was heißt hier Halluzination, du Armleuchter?« – prustete die Bebrillte, schwang das mit schwarzen Perlen bestickte Handtäschchen und schmetterte mir eins über den Scheitel, daß ich stöhnte.

»Gibt's das? Halluzinieren will er!« – schrie die andere. Ein fester Hieb traf mich auf die vorige Stelle. Den Kopf mit beiden Armen deckend, fiel ich um. Ich öffnete die Augen. Professor Trottelreiner beugte sich über mich, den Regenschirm in den Händen. Ich lag auf dem Trittsteig des Kanals. Die Ratten gingen zu zweien, wie gehabt.

»Wo? Wo tut es ihnen weh?« – erkundigte sich der Professor. »Da?«

»Nein, hier« – ich wies auf die verschwollene Scheitelgegend.

Er aber faßte den Schirm am dünneren Ende und knallte mir eins auf die lädierte Stelle.

»Hilfe!« – schrie ich. »Hören Sie gefälligst auf! Warum . . .«

»Das ist ja gerade die Hilfe« – entgegnete der Futurologe unerbittlich. »Ein anderes Antidot habe ich leider nicht zur Hand.«

»Aber wenigstens nicht mit dem Beschlag, Herrgottnochmal!«

»Es ist sicherer so.«

Er haute mich nochmals, wandte sich ab und rief jemanden herbei. Ich schloß die Augen. Der Kopf schmerzte scheußlich. Mit eins fühlte ich mich hochgezerrt. Der Professor und der Mann in der Lederjacke hielten mich an Armen und Beinen gepackt und begannen mich hinwegzutragen.

»Wohin?« – rief ich.

Vom erschütterten Gewölbe rieselte mir Schutt ins Gesicht. Ich spürte, daß meine Träger ein schwankes Brett oder einen Steg beschritten; ich ängstigte mich, sie könnten ausgleiten. »Wohin tragt ihr mich?« – fragte ich schwach, aber niemand gab Antwort. Anhaltendes Krachen erfüllte die Luft. Um uns wurde es feuerhell. Wir waren schon im Freien. Leute in Uniform packten uns alle nacheinander, so, wie wir aus dem Kanalloch gezogen wurden. Recht brutal schleuderten sie uns durch eine offene Tür. Im Vorüberschwirren gewahrte ich riesige Lettern in weißer Ölfarbe: US ARMY COPTER 1 109 849. Dann fiel ich auf eine Tragbahre. In den Hubschrauber guckte Professor Trottelreiner.

»Entschuldigen Sie, Tichy!« – schrie er. »Bitte verzeihen Sie mir! Das war unerläßlich!«

Ein Hintermann riß ihm den Schirm aus der Hand, schlug ihn ihm zweimal kreuzweise um den Schädel und stieß dann so kräftig zu, daß der Futurologe aufstöhnend zu uns hereinplumpste. Im selben Augenblick rauschten die Rotoren auf, die Triebwerke erdröhnten, und die Maschine hob sich majestätisch in die Luft. Das Hinterhaupt sachte reibend, setzte sich der Professor an meine Bahre. Ich muß gestehen, daß ich bei allem Verständnis für das von ihm bewiesene Samaritertum dennoch mit Genugtuung vermerkte, welch riesige Beule er abbekommen hatte.

»Wohin fliegen wir?«

»Zum Kongreß« – sprach Trottelreiner, der noch immer das Gesicht verzog.

»Das heißt . . . wieso zum Kongreß? Der war doch schon?

»Einschreiten Washingtons« – erklärte mir der Professor knapp. »Wir werden die Debatten fortsetzen.«

»Wo?«

»In Berkeley.«

»Auf dem Campus?«

»Ja. Haben Sie vielleicht ein Messer bei sich? Ein Kläppmesser?«

»Nein.«

Der Hubschrauber zuckte. Feuer und Donner schlitzten die Kabine auf; wir kollerten allesamt hinaus – in uferloses Dunkel. Nachher litt ich noch lang. Ich meinte Sirenen wimmern zu hören, jemand schnitt mir mit dem Messer den Anzug auf, die Sinne schwanden mir und kehrten wieder. Fieber und schlechte Straßen schüttelten mich; ich sah die mattweiß lackierte Decke des Krankenwagens. Neben mir lag ein langes Gebilde, gleichsam eine umwickelte Mumie. An dem festgeschnallten Regenschirm erkannte ich Professor Trottelreiner. – Ich bin davongekommen . . . – dämmerte es mir. – Daß es uns da nicht totgeschmettert hat! Was für ein Glück! – Mit schrillem Reifengekreisch torkelte plötzlich das Fahrzeug und überschlug sich. Donner und Feuer sprengten das Blechgehäuse auf. – Was, schon wieder? – so flimmerte in mir der letzte Gedanke, bevor ich in schwarzes Vergessen hinabsank. Als ich die Augen öffnete, sah ich zu einer Glaskuppel auf. Maskierte Leute in Weiß verständigten sich fast tonlos, die Hände priesterlich emporgehoben.

»Ja, das war Tichy« – vernahm ich. »Hierher, in den Glaskolben. Nein, nur das Gehirn! Das übrige taugt nichts mehr. Gebt einstweilen die Narkose!«

Der watteverbrämte Nickelkreis schob sich vors Blickfeld. Ich wollte um Hilfe rufen, schreien, aber ich sog das stechende Gas ein und verströmte im Nichts. Als ein neues

Erwachen kam, konnte ich kein Auge auftun und weder Hand noch Fuß regen; ich war wie gelähmt. Ich erneuerte meine Anstrengungen ohne Rücksicht auf die Schmerzen im ganzen Körper.

»Nur ruhig!« Eine liebe melodische Stimme sprach zu mir. »Nicht strampeln, bitte.«

»Wie? Wo bin ich? Was ist mit mir los?« – lallte ich. Mein Mund, mein ganzes Gesicht war etwas völlig Fremdes.

»Sie sind im Sanatorium, mein Herr. Es wird alles gut. Seien Sie zuversichtlich. Gleich geben wir Ihnen zu essen.« »Kann ich ja nicht! Womit sollte ich?« – wollte ich antworten. Eine Schere schnippte; ganze Lagen Mull fielen mir vom Gesicht. Um mich tagte es. Zwei stattliche Wärter faßten mich unter, sacht, aber fest. Sie brachten mich zum Aufstehen; ich staunte, wie riesig sie waren. Dann setzten sie mich in einen Rollstuhl. Vor mir dampfte eine appetitlich aussehende Fleischbrühe. Unwillkürlich langte ich nach dem Löffel, doch da fiel mir etwas auf: die zugreifende Hand war ganz klein – und so schwarz wie Ebenholz. Ich hob sie hoch und besah sie. Ich konnte sie nach Wunsch bewegen, demnach war es wohl die meinige. Die hatte sich aber sehr verändert. Ich wollte mich nach der Ursache des Phänomens erkundigen; ich streckte mich; mein Blick fiel auf den Spiegel an der Gegenwand. Bandagiert und im Pyjama saß dort im Rollstuhl eine junge hübsche Negerin mit verdutztem Gesichtsausdruck. Ich berührte die eigene Nase. Das Spiegelbild tat desgleichen. Ich begann mich abzutasten, das Gesicht, den Hals . . . Als mir Brüste unterkamen, stieß ich einen bangen Schrei aus. Meine Stimme war ganz zart.

»Großer Gott!«

Die Krankenschwester zankte irgendwen aus, weil der den Spiegel nicht verhängt hatte. Dann wandte sie sich an mich:

»Ijon Tichy, nicht wahr?«

»Ja. Das heißt . . . ja! Ja!! Aber was soll das heißen? Das Mädchen da? Das schwarze Fräulein?«

»Organverpflanzung, Herr Tichy. Anders ging es nicht. Es galt Ihr Leben zu retten. Sie selbst galt es zu retten, daß heißt – Ihr Gehirn!« – sagte die Schwester hastig, aber deutlich. Sie hielt mir beide Hände. Ich schloß die Augen. Ich öffnete sie wieder. Mir schwindelte. Der Chirurg trat ein; aus seinem Gesicht sprach äußerste Entrüstung.

»Feine Zustände!« – donnerte er. »Der Patient kann einen Schock erleiden!«

»Hat er schon!« – versetzte die Schwester. »Simmons ist schuld, Herr Professor. Ich hab ihm doch gesagt, er soll den Spiegel verhängen!«

»Schock? Also los, worauf wartet ihr? In den OP!« – kommandierte der Professor.

»Nein! Mir reicht's!« – rief ich.

Niemand beachtete mein jüngferliches Gepiepse. Eine weiße Plane fiel mir über Augen und Gesicht. Vergeblich suchte ich mich loszureißen. Ich hörte und spürte, daß die Gummiräder meines Wägelchens über die Bodenfliesen holperten. Da ertönte ein markerschütternder Krach; Fensterglas zersprang mit spitzem Geklirr; Donner und Feuer durchtosten den Spitalkorridor.

»Gegenbewegung! Gegenbewegung!« – röhrte jemand. Glas knirschte unter den Schuhen der Flüchtenden. Ich wollte die hemmende Leinwand abwerfen; es gelang nicht. Ich spürte bohrenden Schmerz in der Seite und verlor das Bewußtsein.

Ich erwachte im Stärkeschleim. Er war mit Preiselbeeren versetzt und spürbar zuwenig gesüßt. Ich lag auf dem Bauch; etwas Großes, ziemlich Weiches lastete auf mir. Ich schüttelte das ab. Es war eine Matratze. Ziegelschutt spickte mir schmerzhaft die Knie und die Handflächen. Ich stützte beide Arme auf und spuckte Preiselbeerkerne und Sandkörner aus. Das Einzelzimmer sah aus wie nach einer Bombenexplosion. Die Fensterstöcke hingen lose und neigten sich mit letzten unzermalmten Glaszacken dem Fußboden zu. Der Drahteinsatz des umgestülpten Bettes war verrußt. Mit Preiselbeerschleim bekleckert, lag neben mir ein großer Bogen bedrucktes Papier. Ich hob es auf und begann zu lesen:

»Werter Patient (Vor- und Zuname)! Du weilst derzeit bei uns im Versuchsspital dieses Staates. Der Eingriff, der Dir das Leben gerettet hat, war schwer – sehr schwer (Nichtbenötigtes streichen!). Gestützt auf neueste medizinische Erkenntnisse, haben Dich unsere besten Chirurgen vorerst einmal – zweimal – dreimal – viermal – fünfmal – zehnmal operiert (Nichtbenötigtes streichen!). Deinem Wohl zuliebe ersetzten sie notgedrungenermaßen Teile Deines Organismus durch Organe, die von anderen Personen herrühren (gemäß d. Bundesgesetz d. Sen. u. R. H., Verordn. BGBI 1 989/0 001/89/1). Die herzliche Benachrichtigung, die Du hiermit liest, soll Dir helfen, Dich den neuen Gegebenheiten Deines Lebens bestmöglich anzupassen. Wir haben es Dir bewahrt. Gleichwohl entfernten wir Dir notgedrungenermaßen Arme, Beine, Rücken, Schädel, Genick, Bauch, Nieren, Leber, Sonstiges (Nichtbenötigtes streichen!). Das Los dieser Deiner irdischen Überreste braucht Dich nicht zu beunruhigen; wir haben sie im Einklang mit Deiner Religion versorgt und nach Maßgabe ihrer Weisungen begraben, verbrannt, einbalsamiert, als Staub in alle Winde verstreut, in der Aschenurne bestattet, geweiht, in die Mülltonne geworfen (Nichtbenötigtes streichen!). Vielleicht befremdet Dich anfangs die neue Gestalt, worin Du von nun an ein glückliches und gesundes Leben führen wirst. Doch du kannst uns glauben: wie alle unsere anderen lieben Patienten gewöhnst Du Dich bald daran. Zur Vervollständigung Deines Organismus verwendeten wir die allerbesten – geeigneten – hinreichenden – letzten (Nichtbenötigtes streichen!) derzeit verfügbaren Organe. Die Tauglichkeit dieser Organe verbürgen wir Dir für ein Jahr, Halbjahr, Quartal, drei Wochen, sechs Tage (Nichtbenötigtes streichen!). Du mußt verstehen, daß . . .«

Der Text brach hier ab. Nun erst fiel mir auf, was jemand in Blockbuchstaben an den oberen Blattrand geschrieben hatte: *Ijon Tichy*, Oper. 6, 7 u. 8, *Sämtliches.* Das Papier flatterte mir in den Händen. – Großer Gott! Was ist von mir übrig? – Ich scheute mich sogar, den eigenen Finger zu besehen. Auf dem Handrücken wucherten dicke rote Haare. Mich schauderte. Gegen die Wand gestützt, richtete ich mich auf. Mir schwirrte der Kopf. Brüste hatte ich nicht; immerhin ein Trost! Stille umgab mich. Vor dem Fenster zwitscherte ein Vogel. Gerade der passende Moment, um zu zwitschern! *Sämtliches*. Was heißt *Sämtliches*? Wer bin ich? Ijon Tichy. Dessen war ich sicher. Ergo?? Zuerst betastete ich die Beine. Beide vorhanden, aber krumm, x-förmig. Der Bauch – ungut groß. Der Finger verlor sich im Nabel wie in einem Schacht. Speckfalten! Pfui! Was war mit mir passiert? Richtig, der Hubschrauber! Abgeschossen? Dann der Krankenwagen. Vermutlich eine Granate oder Mine. Dann ich, dieses schwarze Mädelchen, dann die Gegenbewegung, im Korridor – Granaten? Also die Ärmste ist auch . . .? So daß man mich nochmals . . .? Aber woher diese Ruinen, dieser Schutt?

»Hallo!« – rief ich. »Ist jemand hier?«

Überrascht verstummte ich. Meine Stimme war großartig, ein Opernbaß, der im Raum widerhallte. Ich wollte mich unbedingt in einem Spiegel betrachten, aber ich fürchtete mich sehr. Ich griff mir an die Wange. Allmächtiger Gott! Dicke krause Zotteln! Vorgeneigt besah ich meinen Bart, der über den Pyjama wallte und die Brust zur Hälfte bedeckte. Ausgefranst. Zottelig. Rot. Ahenobarbus! Rotbart! Nun ja, man kann sich rasieren . . . Ich guckte hinaus auf die Terrasse. Der Vogel zwitscherte noch immer – der Trottel. Pappeln, Sykomoren, Sträucher . . . Was konnte das sein? Der Garten. Des Spitals dieses Staates . . .? Auf einer Bank saß jemand mit aufgekrempelter Pyjamahose und sonnte sich.

»Hallo!« – rief ich.

Er wandte sich um. Ich erblickte ein seltsam vertrautes Gesicht. Ich blinzelte. Ja, das war meines, das war – ich! In drei Sprüngen war ich draußen. Keuchend starrte ich auf meine eigene Gestalt. Nicht zu bezweifeln – ich selbst!

»Warum schauen Sie mich so an?« – fragte er unsicher mit

meiner Stimme.

»Woher haben Sie das?« – stammelte ich. »Wer sind Sie?! Mit welchem Recht . . .?«

»Ach soo! Sie sind's!«

Er stand auf.

»Ich bin Professor Trottelreiner.«

»Ja, aber warum . . .? Um Himmelswillen, warum? Wer hat . . .?«

»Ich bin daran völlig unbeteiligt« – sagte er ernsthaft. Meine Lippen bebten ihm. »Die sind hier eingedrungen. Yippies. Gegenbewegler. Mit Granate, wissen Sie. Ihr Fall galt als hoffnungslos. Der meinige auch. Ich lag nämlich neben Ihnen, im nächsten Einzelzimmer.«

»Was heißt hier hoffnungslos?« – fauchte ich. »Ich sehe doch . . . Wie konnten Sie nur?!«

»Aber ich war ja bewußtlos. Mein Wort darauf! Doktor Fisher, der Chefchirurg, hat mir alles erklärt. Zuerst wurden die besterhaltenen Organe und Körper verwendet. Als ich an die Reihe kam, gab es nur noch Ausschuß, also . . .«

»Was unterstehen Sie sich? Sie eignen sich meinen Körper an, und obendrein meckern Sie noch!«

»Ich meckere nicht, ich gebe nur wieder, was mir Doktor Fisher gesagt hat. Das da«, – er deutete sich auf die Brust – »das hielten die Ärzte anfangs für unbrauchbar. Aber aus Mangel an Besserem nahmen sie zuletzt die Neubelebung vor. Sie aber waren zu diesem Zeitpunkt bereits verpflanzt.«

»Ich?«

»Freilich Sie. Ihr Gehirn.«

»Und der da?« – ich wies auf mich. »Wer ist das? Will sagen – wer war das?«

»Einer dieser Gegenbewegler. Angeblich ein Anführer. Er konnte mit dem Zünder nicht umgehen. Ein Splitter fuhr ihm ins Gehirn. So ist mir das geschildert worden. Und somit . . .« – Trottelreiner zuckte meine Achseln.

Ich schüttelte mich. Ich fühlte mich unbehaglich in diesem Körper, ich wußte ihm nichts abzugewinnen. Mich ekelte.

Die dicken quadratischen Fingernägel zeugten durchaus nicht von Intelligenz.

»Und was soll nun werden?« – flüsterte ich und setzte mich neben den Professor, weil mir die Knie versagten. »Haben Sie vielleicht einen Spiegel?«

Aus der Brusttasche zog er einen hervor. Begierig griff ich danach. Ich erblickte ein großes blaugeschlagenes Auge, eine grobporige Nase, Zähne in üblem Zustand, ein Doppelkinn. Die untere Gesichtshälfte ging im roten Bartwald unter. Als ich den Spiegel zurückgab, bemerkte ich, daß der Professor Waden und Knie neuerlich der Sonne aussetzte. Impulsiv wollte ich ihn auf die Empfindlichkeit meiner Haut aufmerksam machen, doch ich bezähmte mein Mundwerk. Der Sonnenbrand, den er sich zuziehen konnte, war seine eigene Angelegenheit. Die meinige jedenfalls nicht mehr.

»Wohin kann ich jetzt noch gehen?« – entschlüpfte es mir.

Trottelreiner wurde munter. Seine (seine?!) klugen Augen richteten sich mitleidvoll auf mein (mein?!) Gesicht.

»Ich rate Ihnen: gehen Sie nirgendshin. Der da, er wird als mehrfacher Attentäter von der Polizei dieses Staates und vom FBI gesucht. Es gibt Steckbriefe, Abschußerlaubnis . . .«

Das gab mir den Rest! Ich zuckte zusammen. – O Gott! Das muß wohl doch eine Halluzination sein! – dachte ich.

»Warum nicht gar!« – widersprach Trottelreiner lebhaft. »Wachdasein, mein Bester, das rechtschaffenste Wachdasein!«

»Warum ist das Spital so leer?«

»Das wissen Sie nicht? Stimmt, Sie waren ja bewußtlos . . . Alles streikt.«

»Die Ärzte?«

»Ja. Das gesamte Personal. Die Extremisten haben Doktor Fisher entführt und wollen Sie für ihn eintauschen.«

»Mich?«

»Freilich Sie. Daß Sie nicht mehr Sie sind, sondern Ijon Tichy, nicht wahr, das wissen die ja nicht.«

Mir sprengte es den Schädel.

»Ich bringe mich um!« – sagte ich mit heiserer Baßstimme.
»Davon rate ich ab. Wollen Sie nochmals umgetopft werden?«
Ich überlegte fieberhaft: wie könnte ich mich überzeugen, ob das Ganze nicht dennoch eine Halluzination sei?
»Und was wäre, wenn . . .« – sagte ich und erhob mich.
»Wenn was?«
»Wenn ich ein wenig auf Ihnen herumritte. Hm? Was meinen Sie dazu?«
»Ein wenig – was?? Sie sind wohl verrückt geworden!«
Ich maß mein Gegenüber mit den Blicken, duckte mich zum Sprung, saß unbewehrt auf und fiel in den Kanal. Der schwarze Stinkbrei erstickte mich fast. Und dennoch – welche Erlösung! Ich kroch an Land. Es wimmelte nicht mehr von Ratten; sie waren wohl anderswohin gegangen. Nur vier verblieben noch. Hart an den Knien des tief schlafenden Professors Trottelreiner spielten sie mit seinen Karten Bridge. Ich erschrak zutiefst. Ist es denn möglich, daß Ratten das wirklich spielen können, und sei es auch unter Einfluß ungemein hochkonzentrierter Halluzinogene? Ich guckte der dicksten ins Blatt. Sie drosch die Karten ohne Sinn und Ziel. Keine Spur von Bridge! Dann war ja alles gut! – Ich atmete auf.
Doch zur Vorbeugung beschloß ich steif und fest, mich keinen Schritt weit vom Kanal wegzurühren. Jede mögliche Rettung aus der Bedrängnis war mir gründlich verleidet, zumindest für einige Zeit. Vor dem nächsten Mal wollte ich Garantien fordern, statt mir wieder das Blaue vom Himmel vorgaukeln zu lassen. Ich befühlte mein Gesicht. Kein Bart, keine Maske. Wo war nun wieder die Maske?
»Was mich betrifft«, – sprach Professor Trottelreiner, ohne die Augen zu öffnen – »ich bin ein anständiges Mädchen und erwarte, daß Sie sich dementsprechend benehmen, mein Herr.«
Mit schräggeneigtem Kopf schien er aufmerksam einer Antwort zu lauschen, dann setzte er fort:

»Meine Tugendhaftigkeit ist keine Heuchelei, die abgestumpfte Begierden zusätzlich entfachen soll, sondern die lauterste Wahrheit. Mein Herr, Sie werden mich nicht anrühren, da ich mir sonst das Leben nehmen müßte.«

– Aha! – durchblitzte es mich verständnisinnig. – Der hat es auch schon eilig in den Kanal!

Einigermaßen beruhigt horchte ich weiter; den Umstand, daß der Professor halluzinierte, empfand ich als Beweis dafür, daß wenigstens ich dies nicht tat.

»Vorsingen kann ich Ihnen, das wohl« – sprach indessen der Professor. »Ein züchtiges Liedchen verpflichtet zu nichts. Spielen Sie die Begleitung?«

Möglicherweise redete er aber bloß im Schlaf; dann war wiederum alles ungeklärt. Vielleicht sollte ich probeweise aufsitzen? Aber in den Kanal springen konnte ich eigentlich auch ohne des Professors Mittlerschaft.

»Ich bin nicht recht bei Stimme. Und Mama wartet auf mich. Nein, ich gehe allein nach Hause« – erklärte Trottelreiner kategorisch. Ich stand auf und beleuchtete alles der Reihe nach mit der Taschenlampe. Die Ratten waren verschwunden. Die Schweizer Futurologengruppe schnarchte in Reih und Glied dicht an der Wand. Ein wenig abseits ruhten Reporter und Hilton-Manager kunterbunt in den Aufblasfauteuils. Überall lagen abgenagte Geflügelknochen und leere Bierdosen. – Wenn das eine Halluzination ist, dann eine sehr, sehr realistische – sagte ich mir. Dennoch hätte ich mich gern vergewissert, daß es keine sei. Weiß Gott, ich wäre lieber in ein endgültiges unwiderrufliches Wachdasein zurückgekehrt! Was gab es wohl Neues oben in der Stadt?

Detonierende Bomben (oder *Bemben?*) meldeten sich dumpf und spärlich. Neben mir ertönte ein lauter Platsch. Die Oberfläche der schwarzen Gewässer tat sich auf, und zum Vorschein kam das verzerrte Gesicht Professor Trottelreiners. Ich reichte ihm die Hand. Er kroch ans Ufer, schüttelte sich und vermerkte:

»Ich hatte einen blödsinnigen Traum.«

»Einen jüngferlichen, oder?« – versetzte ich beiläufig.

»Zum Teufel! Ich halluziniere also noch immer?!«

»Wieso glauben Sie das?«

»Nur in Wahnerlebnissen kennen Außenstehende den Inhalt unserer Träume.«

»Ich habe Sie bloß reden gehört« – erklärte ich. »Herr Professor, Sie als Fachmann kennen doch vielleicht irgendeine geeichte Methode, wonach sich feststellen läßt, ob man seine fünf Sinne beisammen hat oder an Wahnvorstellungen leidet?«

»Ich trage immer Wachpulver bei mir. Der Beutel ist durchnäßt, aber den Pastillen schadet das nicht. Sie unterbrechen alle Umnachtungszustände, Trugwahrnehmungen, Gesichte und Alpträume. Wollen Sie?«

»Mag sein, daß Ihr Präparat so wirkt« – brummte ich. »Aber das Scheinbild eines solchen Präparates wirkt bestimmt nicht so.«

»Wenn wir halluzinieren, wachen wir auf, und wenn nicht, dann geschieht überhaupt nichts« – versicherte der Professor und steckte eine blaßrosa Pastille in den Mund. Auch ich nahm eine aus dem dargebotenen nassen Säckchen. Sie glitt über die Zunge in den Schlund. Knallend sprang hoch über uns der Kanaldeckel auf; ein Kopf mit Fallschirmjägerhelm zeigte sich und brüllte:

»Schnell herauf, hoppauf, schnell, aufstehen!«

»Hubschrauber oder Holfter?« – fragte ich gewitzigt. »Wenn es nach mir geht, Herr Sergeant, dann können Sie sich das alles hinten hineinstecken.«

Und ich setzte mich an die Wand und legte die gekreuzten Arme auf die Brust.

»Übergeschnappt?« – erkundigte sich der Sergeant sachlich bei Trottelreiner, der die Leiter hinaufzuklettern begann. Alle wurden munter. Stantor faßte mich unter der Achsel, um mich hochzuziehen, aber ich stieß seine Hand zurück.

»Sie bleiben lieber hier? Bitte sehr!«

»Falsch. ›Gott befohlen‹ heißt es« – verbesserte ich. Der Reihe nach verschwanden alle durch die offenstehende Kanalluke. Ich sah Feuerschein, hörte Kommandorufe und merkte an den dumpfen Zischtönen, daß die Leute nacheinander mit Flugtornistern in die Lüfte abgefertigt wurden. – Seltsam! – überlegte ich. – Was soll das? Halluziniere ich *für die anderen?* Per procura? Und was nun? Werde ich so sitzen bis zum Jüngsten Tag?

Dennoch regte ich mich nicht. Der Deckel klappte knallend zu, und ich blieb allein. Die Taschenlampe stand hochkant auf dem Beton; ihr von der Decke widerschimmernder Lichtkreis erhellte schwach die Umgebung. Zwei Ratten gingen vorbei, die Schwänzchen fest ineinandergeschlungen. – Das hat etwas zu bedeuten – sagte ich mir. – Aber ich sollte mich lieber nicht darauf einlassen!

Im Kanal plätscherte etwas. »Nanu« – mümmelte ich vor mich hin. »Wer ist denn diesmal an der Reihe?« Der pappige Wasserspiegel teilte sich, und zum Vorschein kamen die schwarzglänzenden Gestalten von fünf Froschmännern mit Taucherbrille und Sauerstoffmaske, die Waffe in der Hand. Nacheinander hüpften sie heraus auf den Trittsteig und schritten auf mich zu; ohrenzerreißend schlurften die froschigen Fußflossen.

»Habla usted español?« – sprach mich der Vorderste an, die Maske abstreifend. Er hatte ein Schnurrbärtchen im bräunlichen Gesicht.

»Nein« – gab ich zurück. »Aber ich bin sicher, daß Sie Englisch können, oder?«

»Irgendein unverschämter Gringo« – sagte der mit dem Bärtchen zum Nebenmann. Wie auf Kommando entblößten alle das Gesicht und legten auf mich an.

»Ich soll in den Kanal steigen?« – fragte ich willig.

»An die Wand stellen sollst du dich. Hände hoch. So hoch es geht!«

Einer stieß mir den Lauf zwischen die Rippen. Ich bemerkte, daß die Halluzination sehr genau war. Alle hatten sogar die Maschinenpistolen in Plastiksäcke gehüllt, um die Nässe abzuhalten.

»Da waren noch mehr« – sagte der mit dem Bärtchen zu einem feisten Schwarzhaarigen, der eine Zigarette anzuzünden suchte. Ihn hielt ich für den Anführer. Die Männer leuchteten den ganzen Lagerplatz ab, traten gegen die leeren Dosen, daß es rasselte, und warfen die Fauteuils um. Endlich sagte der Offizier:

»Waffen?«

»Ich hab ihn abgetastet, Herr Hauptmann. Nichts da.«

»Darf ich die Hände senken?« – fragte ich von der Wand her. »Weil sie mir nämlich einschlafen.«

»Gleich sinken sie dir ein für allemal. Abknallen?«

»Mhm« – den Rauch durch die Nase ausstoßend, nickte der Offizier. »Nein, wartet noch!« – setzte er fort.

Mit wiegendem Gang kam er auf mich zu. Vom Gürtel hing ihm an einer Schnur ein ganzes Bündel Goldringe.

– Ungemein realistisch! – dachte ich.

»Wo sind die anderen?« – fragte er.

»Mich fragen Sie das? Alles hat sich durch die Luke hinaushalluziniert. Aber das wissen Sie ja ohnehin.«

»Ein Irrer, Herr Hauptmann. Er soll nicht länger leiden« – sagte der mit dem Bärtchen. Durch die Plastikhülle hindurch entsicherte er seine Waffe.

»So doch nicht!« – sagte der Offizier. »So kriegt der Sack ein Loch, und wo findest du einen neuen, Blödian? Nimm das Messer.«

»Falls ich auch ein Wörtchen mitreden darf: lieber wäre mir halt doch eine Kugel« – bemerkte ich, die Hände um ein weniges senkend.

»Wer hat ein Messer?«

Alle begannen zu suchen. – Natürlich wird sich herausstellen, daß sie keines haben – überlegte ich. – Das Ende käme ja sonst gar zu schnell! – Der Offizier schmiß das Zigarettenstümpfchen auf den Beton, zerdrückte es angewidert mit dem Flossenende, spuckte aus und sagte:

»Wir gehen. Legt ihn um!«

»Ja, ja, bitte sehr!« – pflichtete ich eifrig bei.

Aufhorchend rückten sie dicht an mich heran.

»Warum hast du es so eilig ins Jenseits, Gringo? – Seht doch den Sausack, wie er sich aufdrängt! – Vielleicht schneiden wir ihm bloß die Finger und die Nase ab?« – rätselten alle durcheinander.

»Nicht doch, meine Herren! Gehen Sie gleich aufs Ganze! Nur keine Skrupel! Frisch gewagt!« – ermunterte ich sie.

»Alle Mann unter Wasser!« – kommandierte der Offizier. Sie schoben die Masken vors Gesicht; der Offizier nestelte seinen äußeren Gurt auf, zog aus der Innentasche einen flachen Revolver, pustete in den Lauf, schnippte die Waffe hoch wie der Cowboy in einem schlechten Film und schoß mich in den Rücken. Scheußlicher Schmerz bohrte sich durch den Brustkorb. Ich begann an der Wand zusammenzusinken; der Offizier packte mich beim Genick, drehte mir das Gesicht nach oben und schoß noch einmal aus so unmittelbarer Nähe, daß mich das Mündungsfeuer blendete. Den Knall hörte ich nicht, denn ich verlor das Bewußtsein. Ich weilte dann in vollkommener Finsternis; ich rang nach Atem, sehr lange Zeit hindurch; etwas zerrte an mir; etwas schüttelte mich; – hoffentlich kein Krankenwagen und auch kein Hubschrauber – dachte ich, dann wurde es in meiner Finsternis noch viel dunkler, und auch dieses Dunkel löste sich schließlich auf; somit verblieb gar nichts mehr.

Als ich die Augen aufschlug, saß ich auf einem sauber bezogenen Bett in einem Zimmer mit einem schmalen Fenster, dessen Scheibe mit weißer Ölfarbe angestrichen war; ich starrte stumpf auf die Tür, als wartete ich auf etwas. Ich hatte keine Ahnung, wo ich mich befand und wie ich hierhergeraten war. An den Füßen trug ich Schlapp-Pantoffeln, am Leibe einen gestreiften Pyjama. – Immerhin etwas Neues! – vermerkte ich. – Selbst wenn es sich nicht sonderlich interessant anläßt! – Die Tür wurde geöffnet. Umdrängt von einer Gruppe junger Leute in weißen Spitalmänteln, stand auf der Schwelle ein untersetzter bärtiger Herr mit grauem Bürstenhaar und goldener Brille. In den Händen hielt er einen Gummihammer.

»Ein interessanter Fall, Kollegen« – sagte dieser Herr. »Sehr interessant! Vor vier Monaten erlitt dieser Patient eine Vergiftung durch Aufnahme einer beträchtlichen Dosis von Halluzinogenen. Ihre Wirkung ist längst abgeklungen, er aber kann es nicht glauben und hält weiterhin alles Wahrgenommene für eine halluzinatorische Erscheinung. In dieser Abwegigkeit ging er bis zum Äußersten: als er in den Kanälen Soldaten des Generals Diaz traf, die eben aus dem besetzten Palast flüchteten, da bat sie der Kranke selbst, ihn zu erschießen. Er meinte nämlich, er werde nicht in Wirklichkeit sterben, sondern statt dessen aus der Wahnwelt erwachen. Drei sehr schwere Eingriffe haben ihn gerettet – ihm wurden zwei Kugeln aus den Herzkammern entfernt – und nun glaubt er steif und fest, er halluziniere noch immer.«

»Ist das Schizophrenie?« – fragte mit feiner Stimme eine kleingewachsene Studentin. Sie konnte sich im Gewühl nicht vordrängen und stellte sich immer wieder auf die Zehenspitzen, um den Kollegen über die Schulter zu gucken und mich zu besichtigen.

»Nein. Das ist eine neue Spielart der reaktiven Psychose, zweifellos hervorgerufen durch die Anwendung jener verhängnisvollen Mittel. Ein völlig hoffnungsloser Fall; die Aussichten sind so schlecht, daß wir uns entschlossen haben, ihn zu vitrifizieren.«

»Wirklich? Herr Professor!« – die Studentin war außer sich vor Wißbegier.

»Ja. Wie ihr wißt, können hoffnungslose Fälle heute bereits für einen Zeitraum von vierzig bis siebzig Jahren in Flüssigstickstoff tiefgekühlt werden. Jeder solche Patient wird in einem hermetisch verschlossenen Behälter untergebracht, in einem abgewandelten Dewarschen Vakuumgefäß mit der genauen Krankengeschichte. Je nach den medizinischen Neuentdeckungen und Fortschritten macht man dann Bestandsaufnahmen in den Kellern, wo diese Menschen aufbewahrt werden, und erweckt jeden, dem schon geholfen werden kann.«

»Lassen Sie sich denn gern tiefkühlen, mein Herr?« – fragte mich die Studentin, zwischen zwei stattlichen Studenten hervorguckend. Die Augen flammten ihr vor wissenschaftlicher Neugier.

»Mit Wahnbildern rede ich nicht« – entgegnete ich. »Äußerstenfalls, mein Fräulein, kann ich Ihnen sagen, wie Sie heißen. Halluzinda.«

»Während die Tür geschlossen wurde, hörte ich die Studentin noch reden. »Winterschlaf!« – sagte sie. »Vitrifizieren! Das ist ja eine Zeitreise, wie romantisch!« Ich war anderer Meinung, aber was half das? Ich mußte die fiktive Außenwelt gewähren lassen. Gegen Abend des nächsten Tages führten mich zwei Wärter in den Operationssaal. Dort stand ein Glasbecken, woraus so eisige Dämpfe aufstiegen, daß der Atem stockte. Ich bekam Unmengen von Spritzen, dann wurde ich auf den Operationstisch gelegt und durch ein Röhrchen mit süßlicher klarer Flüssigkeit vollgetränkt; das sei Glyzerin, erklärte mir der Oberwärter. Er war nett zu mir. Ich nannte ihn Halluzius. Als ich schon hinwegdämmerte, beugte er sich über mich und rief mir noch ins Ohr: »Frohes Erwachen!«

Ich konnte nicht antworten und nicht einmal einen Finger bewegen. Die ganze Zeit hindurch – wochenlang! – hatte ich befürchtet, die Leute könnten zu hastig sein und mich schon vor dem Eintritt der Bewußtlosigkeit ins Becken werfen. Sie übereilten sich offenbar wirklich. Denn als letzter Laut aus dieser Welt drang an meine Ohren der Platsch beim Eintauchen meines Körpers in den Flüssigstickstoff. Ein garstiger Laut.

Nichts.

Nichts.

Nichts. Schlechterdings gar nichts!

Fast hätte ich gemeint: etwas. Ja denkste! Nichts.

Es gibt nichts. Mich auch nicht.

Wie lange noch? Nichts.

Etwas, wie mich deucht. Allerdings nicht gewiß. Ich muß mich konzentrieren.

Etwas. Aber sehr, sehr wenig. In anderen Verhältnissen würde ich sagen: nichts.

Gletscher. Weiße und blaue. Alles ist aus Eis gemacht. Ich auch.

Hübsch, diese Gletscher. Wenn es bloß nicht so saukalt wäre!

Eisnadeln und Schneekristalle. Arktis. Eisscholle im Maul. In den Knochen – – Mark? Wieso Mark? Nein, reines glasklares Eis. Es ist eisig und starr.

Gefriergemüse – das bin ich! Aber was heißt »ich«? Das ist die Frage.

Noch nie war es so kalt. Zum Glück weiß ich nicht, wem. Mir? Was heißt »mir«? Wem? Dem Gletscher? Ob Eisberge Löcher haben?

Ich bin ein Winterblumenkohl im Sonnenschein. Frühling! Schon taut alles auf. Insbesondere ich. Im Mund steckt ein Eiszapfen oder aber eine Zunge.

Also doch die Zunge. Sie martern mich, wälzend, knickend, reibend und, wie mir scheint, sogar hauend. Ich liege unter einer Kunststoffplane. Über mir – Lampen. Also dadurch verfiel ich auf diesen Blumenkohl im Treibhaus. Ich muß mir etwas vorgefiebert haben. Weiß ist es hier, überall weiß. Aber das ist nicht Schnee, das sind die Wände.

Die haben mich aufgetaut. Zum Dank habe ich beschlossen, ein Tagebuch zu schreiben, sobald ich die Feder zwischen den klammen Fingern werde halten können. In den Augen habe ich noch immer eisige Regenbogenfarben und blaues Glitzern. Teuflische Kälte. Aber nun kann ich mich schon wärmen.

27. 7. Meine Neubelebung soll drei Wochen erfordert haben. Es gab da Schwierigkeiten. Ich sitze im Bett und schreibe. Mein Zimmer ist tagsüber groß und abends klein. Junge hübsche Frauen mit Silbermasken sind meine Pflegerinnen. Manche haben keine Brüste. Ich sehe doppelt, oder aber der Chefarzt hat zwei Köpfe. Die Verpflegung ist ganz normal. Weizengrütze, Stollen, Milch, Haferflocken, Beefsteak. Die Zwiebeln leicht angebrannt. Gletscher erscheinen mir nur noch im Traum, aber dort mit gräßlicher Ausdauer. Ich friere ein, beeise und vereiszapfe mich, über und über beschneit und knirschend von spät bis früh. Wärmeflaschen und Umschläge nützen nichts. Am ehesten hilft noch Weingeist vor dem Einschlafen.

28. 7. Diese Frauen ohne Brüste, das sind die Studenten. Anders lassen sich die Geschlechter gar nicht mehr unterscheiden. Alle Leute sind groß und hübsch und lächeln immerzu. Ich bin schwach, launisch wie ein Kind, alles stört mich. Heute nach der Injektion stieß ich die Nadel ins Sitzfleisch der Oberschwester. Sie aber lächelte mich sofort wieder an. Manchmal scheine ich mit meiner Eisscholle davonzutreiben – will sagen, mit dem Bett. Auf die Zimmerdecke projizieren sie mir Häschen, Emschen, Kühchen, Würmchen und Mistkäferchen. Warum? Ich bekomme die Kinderzeitung. Aus Versehen?

29. 7. Ich ermatte rasch. Aber ich weiß schon: früher, das heißt, zu Beginn der Neubelebung, da fieberte ich mir etwas vor. Angeblich hat das so zu sein. Das ist normal. Die Ankömmlinge aus den fernen Jahrzehnten werden allmählich an das neue Leben gewöhnt. Der Vorgang erinnert an die Bergung von Tauchern, die ja aus großer Tiefe nicht jählings heraufgeholt werden dürfen. So auch der Tauling (dies ist das erste neue Wort, da ich lernte); schrittweise wird er auf die ihm unbekannte Welt vorbereitet. Wir schreiben das Jahr 2039. Jetzt ist Juli. Sommer. Schönes Wetter. Meine persönliche Pflegerin heißt Aileen Rogers. Sie ist dreiundzwanzig und hat blaue Augen. Wiedergeboren wurde ich in einem Revitarium bei New York. Anders gesagt – in einer Aufersteherei. So nennen das die Leute. Das ist fast eine Stadt für sich, eine Gartenstadt. Eigene Mühlen, Bäckereien, Druckereien. Denn anderswo gibt es kein Getreide und keine Bücher mehr. Aber es gibt Brot, Sahne zum Kaffee und auch Käse. Nicht von der Kuh? Die Pflegerin dachte, »Kuh« sei der Name einer Maschine. Ich kann mich nicht verständlich machen. Wo kommt die Milch her? Vom Gras. Versteht sich, vom Gras, aber wer frißt es, so daß es zu Milch wird. Niemand frißt es. Woher kommt also die Milch. Aus dem Gras. Von selbst? Von selbst wird sie daraus? Nein, nicht von selbst. Das heißt, nicht ganz von selbst. Man muß mithelfen. Die Kuh hilft mit? Nein. Welches Tier denn sonst? Gar kein Tier. Wo kommt also die Milch her? – Und so weiter, immer im Kreis herum.

30. 7. 2039. Ganz einfach. Sie schütten etwas auf die Weideflächen, und wenn dann Sonnenstrahlen darauf einwirken, wird das Gras zu Käse. Über die Milch bin ich noch nicht im Bilde, aber schließlich gibt es Wichtigeres. Ich darf schon aus dem Bett – und aufs Wägelchen. Heute war ich an einem Teich mit vielen Schwänen. Die sind folgsam; wenn man sie ruft, schwimmen sie herbei. Dressiert? Nein, die sind fern. – Was heißt das? Wovon sind sie fern? – – Ferngesteuert. –

Seltsam. Die natürliche Vogelwelt ist nicht mehr vorhanden. Zu Beginn des 21. Jahrhunderts ist sie ausgestorben. Schuld war der Smog. Das leuchtet mir wenigstens ein.

31. 7. 2039. Neuerdings besuche ich den Kurs Zeitgenössischen Lebens. Den erteilt ein Computer. Er beantwortet nicht alle Fragen. »Das wirst du später erfahren« – heißt es. Seit dreißig Jahren herrscht auf der Erde dauerhafter Friede aufgrund allgemeiner Abrüstung. Es gibt kaum noch Militär. Mein Ausbilder hat mir schon Modelle von Robotern gezeigt. Es gibt viele, verschiedene, aber nicht in den Revitarien – um die Taulinge nicht zu verschrecken. Alle Welt lebt im Wohlstand. Das, wonach ich immerfort frage, ist laut Bescheid meines Erziehers nicht das Wichtigste. Der Kurs findet an einem Pult in einer kleinen Kabine statt. Wort, Bild und dreidimensionale Projektionen.

5. 8. 2039. Schon in vier Tagen soll ich das Revitarium verlassen. Auf der Erde leben 29,5 Milliarden Menschen. Es gibt Staaten und Grenzen, aber keine Konflikte. Der Hauptunterschied zwischen einstigen und jetzigen Menschen ist mir heute mitgeteilt worden. Grundbegriff ist jetzt die Psychemie. Wir leben in einer Psivilisation. Das Stichwort »Psychisches« scheint nicht mehr auf. Jetzt kennt man nur »Psychemisches«. Der Computer sagt, der Widerspruch zwischen dem Neuhirn und unserem tierischen Erbteil, dem Stammhirn, habe vormals die Menschheit zerrüttet. Das Alte ist triebhaft, irrational, ichsüchtig und sehr verbohrt. Das Neue zerrte hierhin, das Alte dorthin. Verwickelte Belange kann ich noch nicht gut in Worte fassen. Das Alte raufte ständig mit dem Neuen. Will sagen, das Neue mit dem Alten. Diese inneren Kämpfe, diesen sinnlosen Verschleiß von Geisteskräften hat erst die Psychemie beendigt. Um unser Stammhirn kümmern sich jetzt die Psychemikalien. Sie versöhnen, mäßigen und beschwichtigen es von innen heraus und in Güte. Spontanen Gefühlen darf nichts überlassen bleiben; das wäre *unanständig*. Zu jedem Anlaß ist das entsprechende

Fertigpräparat einzunehmen. Es hilft, stützt, lenkt, ertüchtigt und glättet. Im übrigen ist das kein *Es*; das ist ein Teil meiner selbst, ein erworbenes Organ, wie die Brille eines Menschen, der ohne Brille schlecht sieht. Diese Unterweisungen verstören mich. Mir bangt vor dem Kontakt mit den neuen Menschen. Ich will keine Psychemikalien einnehmen. Der Erzieher bezeichnet dieses Widerstreben als etwas Typisches und Natürliches: genauso hätte sich ein Höhlenmensch gegen die Trambahn gesträubt.

8. 8. 2039. Mit der Pflegerin war ich in New York. Grüne Unermeßlichkeit. Die Flughöhe der Wolken läßt sich steuern. Luft wie im Wald. Die Passanten auf der Straße sind edel von Angesicht, tragen papageibunte Kleider, sind nett zueinander und lächeln. Niemand hetzt sich ab. Die Damenmode – wie immer ein wenig närrisch: auf der Stirn tragen die Frauen bewegliche Ansichtsbildchen; aus den Ohren ragen kleine knallrote Züngelchen oder Knöpfchen. Außer den natürlichen Händen kann man Filialen tragen, abschnallbare Zusatzhändchen. Viel können diese Hände nicht tun, aber immerhin – etwas halten, die Tür öffnen, zwischen den Schulterblättern kratzen. Morgen verlasse ich das Revitarium. Amerika hat zweihundert derartige Anstalten. Dennoch ergeben sich Verspätungen beim Auftauen der Scharen, die sich im vorigen Jahrhundert vertrauensvoll ins Eisbad gelegt haben. Die Rücksicht auf diese steifstarren Warteschlangen nötigt zu beschleunigten Wiedereingliederungsmaßnahmen. Das verstehe ich vollauf. Ich habe ein Bankkonto, so daß ich erst nach Neujahr Arbeit suchen muß. Für jeden Tiefkühlpatienten wird nämlich ein Zinseszinsensparbuch angelegt: sogenannte eingefrorene Summen mit Auferstehung auf Ziel.

9. 8. 2039. Heute ist dieser für mich so wichtige Tag. Ich habe schon ein Dreizimmerwohn in Manhattan. Anreise per Packschrauber geradewegs aus dem Revitarium. Jetzt be-

zeichnet man das sehr kurz und bündig: »pack dich« und »schraub dich«. Doch mir entgeht der Unterschied zwischen den Bedeutungen dieser beiden Verben. New York, einst eine mit Autos verstopfte Müllhalde, hat sich in ein System vielstöckiger Gärten verwandelt. Das Sonnenlicht wird durch Leitungen gepumpt; sie heißen »Soladukte«. So artige Kinder ohne Launen hat es zu meiner Zeit nicht gegeben, außer in frömmelnden Lesebuchgeschichten. An der Ecke meiner Straße ist ein »Anmeldungsbüro für Eigenwüchsige Nobelpreisanwärter«. Daneben Bildergalerien, wo nur echte Gemälde mit Expertisen und Herkunftsbeglaubigungen spottbillig verkauft werden. Sogar Rembrandts und Matisses. Der Hoftrakt meines Hochhauses beherbergt eine Schule für pneumatische Kleincomputerchen. Manchmal dringt ihr Gefauch und Geschnauf herüber (durch die Ventilationsschächte?). Diese Computerchen sind vielseitig verwendbar. Zum Beispiel werden geliebte Hunde nach ihrem fleischlichen Tode damit ausgestopft. Das kommt mir reichlich monströs vor. Aber Leute meinesgleichen bilden ja hier eine winzige Minderheit. Ich wandere gern durch die Stadt. Ich kann mich schon per Flitz fortbewegen. Das ist leicht. Ich habe mir eine weinrote Tunika gekauft, mit weißem Bruststück, silbernen Flanken, weinroter Schleife und goldverbrämtem Kragen. Von den Trachten, die jetzt getragen werden, ist diese noch am wenigsten grell. Es gibt Kleidung, die immer wieder Schnitt und Farbe ändert; Frauenkleider, die unter Männerblicken hinwegschrumpfen oder sich im Gegenteil zum Schlaf wie Blumen entfalten; Kleider und Blusen, die wie Fernsehschirmchen allerlei bewegte Szenen zeigen . . . Man kann Orden anstecken: welche man will und so viele man will. Man kann auf dem Hut Hydrokulturen japanischer Zwergpflanzen züchten. Aber zum Glück kann man ebensogut auch gar nichts züchten und gar nichts anstecken. Ich werde mir nichts in die Ohren oder an die Nase hängen. Mein flüchtiger Eindruck: alle diese hübschen, großen, netten, höflichen und ruhigen Menschen sind überdies irgendwie eigenartig, ungewöhnlich ... Sie haben etwas an sich, was mich wundert oder zumindest stutzig macht. Aber ich habe keine Ahnung, woran das liegen könnte.

10. 8. 2039. Heute mit Aileen soupiert. Ein netter Abend. Nach dem Essen besuchten wir den altertümlichen Rummelplatz von Long Island. Wir amüsierten uns köstlich. Ich beobachte die Leute genau. Sie haben etwas an sich. Etwas Eigentümliches haben sie an sich. Ja, aber was? Ich komme nicht dahinter. Zur Kinderkleidung: ein Bübchen, als Computer verkleidet. Ein anderes segelt stockhoch über der Menschenmenge der Fünften Straße dahin und streut Zuckererbsen auf die Passanten. Die winken ihm zu und lächeln leutselig. Ein Idyll. Kaum zu glauben.

11. 8. 2039. Soeben war Klimbiszit über das Septemberwetter. Das Klima wird in allgemeiner und gleicher Wahl für den jeweils nächsten Monat festgelegt. Dank einem Computer werden die Abstimmungsergebnisse unverzüglich bekanntgegeben. Zwecks Stimmabgabe wählt man eine bestimmte Telefonnummer. Der August wird sonnig sein, mit geringer Niederschlagsmenge, nicht allzu heiß. Viele Regenbögen und Haufenwölkchen. Regenbögen gibt es nicht nur bei Regen; sie lassen sich auch anders erzeugen. Ein Sprecher der METEO entschuldigte sich für die mißglückten Wolken vom 26., 27. und 28. Juli. Unachtsamkeit der technischen Kontrolle. Ich speise in der Stadt, manchmal auch im Wohn. Aileen hat für mich Websters Wörterbuch aus der Revitarbibliothek entliehen. Anderswo gibt es ja keine Bücher. Ich weiß nicht, was ihre Stelle vertritt. Aileens Erklärungen habe ich nicht verstanden, und ich schämte mich, dies zu bekennen. Wieder ein Abendessen mit Aileen, im »Bronx«. Das liebe Mädchen hat immer etwas zu sagen, nicht wie diese Mädchen im Flitz, die alle Konversationspflichten auf die Computerhandtäschchen abwälzen. Heute sah ich im Fundamt drei solche Täschchen. Anfangs plauderten sie ruhig, dann zerstritten sie sich.

Was die Passanten betrifft, und überhaupt die Leute in der Öffentlichkeit – sie schnaufen sozusagen. Ich meine, sie atmen laut. Ist das so Sitte?

12. 8. 2039. Ich habe mich aufgerafft und Passanten nach einer Buchhandlung gefragt. Sie zuckten die Achseln. Zwei Männer, die ich angesprochen hatte, hörte ich im Weitergehen sagen: »So ein frostiger *Tautropf*!« Besteht etwa ein Vorurteil gegen Taulinge? Ich notiere weitere unbekannte Ausdrücke, wie ich sie vernommen habe: Dinkel, Sicker, Dreibapp, Beweiber, palastern, exen, knüppen, synteln. Die Zeitungen werben für Produkte wie Onkal, Spüral, Anengler und Kitzimobil (Kitzelant, Kitz). Überschrift einer Meldung im Lokalteil des »Herald«: *Von Mutternteil zu Mutternteil*. Der Text handelt von einem Eiboten, der die Eierei verwechselt habe. Ich zitiere den Großen Webster: »*Mutternteil*, analog zu Elternteil, Hinternteil. Eine von zwei Frauen, die gemeinschaftlich ein Kind zur Welt bringen. – *Eibote*, von anachron. Eilbote, Euplanist, der die menschlichen Lizenz-Eier ins Haus zustellt.« – Ich behaupte nicht, ich hätte das verstanden. »*Onkal*, vgl. Tantal, Skantal. – *Enz*, vgl. Penz; siehe auch: Vatikan.« – Das blöde Wörterbuch nennt Synonyme, die ich genausowenig verstehe. »*Palastern, Einpalastern, Auspalastern*, zeitweilig einen Palast haben (nicht: mieten). – *Anengler*, Zweitgeist.« – Am ärgsten sind die Wörter, die unverändert aussehen, aber völlig neuen Sinn angenommen haben. »*Stahlwerk*, Plagiator fremder Einfälle. – *Simulat*, nichtexistentes Objekt, das zu existieren vorgibt. – *Kleck-sel*, Roboter-Schmiermeister, nicht verwechseln mit Wecksel. – – *Wecksel*, Resuscitant, neubelebter Getöteter, auferwecktes Mordopfer.« – Na bitte! Und ferner: *Aufmännchen*, von Stehaufmännchen«. Tote lebendig zu machen ist jetzt offenbar ein Kinderspiel. Und die Leute schnaufen. Fast alle. Im Lift, auf der Straße, überall. Sie sehen blühend aus, rotwangig, fröhlich, braungebrannt, aber sie keuchen. Ich nicht. Das ist also kein Muß. Eine Sitte, oder was sonst? Ich

fragte Aileen. Sie lachte mich aus, es gebe nichts dergleichen. Sollte ich mich getäuscht haben?

13. 8. 2039. Ich wollte die vorgestrige Zeitung durchsehen, aber obwohl ich das ganze Wohn auf den Kopf stellte, fand ich sie nicht. Wieder hat mich Aileen ausgelacht, im übrigen auf entzückende Art. Die Zeitung verflüchtigt sich binnen vierundzwanzig Stunden. Die Substanz, worauf sie gedruckt wird, löst sich alsbald in Luft auf. So wird die Müllabfuhr entlastet. Aileens Freundin Ginger fragte mich heute beim Fixtrott in einem kleinen Tanzlokal: »Und wenn wir zum Quiekend einen Drucks verabschmecken?« Ich gab keine Antwort, denn ich verstand den Sinn nicht, und eine innere Stimme hielt mich von Rückfragen ab. Auf Aileens Rat habe ich mir ein Dingsehgerät angeschafft. Das alte Fernsehen ist vor fünfzig Jahren abgekommen. Anfangs gewöhnt man sich schwer an das Ding-Sehen; man hat den Eindruck, daß einem fremde Leute, aber auch Hunde, Löwen, Landschaften und Planeten auf die Bude rücken, so körperhaft, daß sie sich nicht von echten Wesen und Dingen unterscheiden. Der künstlerische Rang ist jedoch ziemlich niedrig. Die neuen Kleider heißen ›Spritzer, weil sie aus Flaschen auf die Haut aufgespritzt werden. Am stärksten hat sich die Sprache verändert. ›Sterber‹ von ›sterben‹, wie ›Schreiber‹ von ›schreiben‹, weil man gewohnheitsmäßig sterben und wiederauferstehen kann; daher die Bezeichnung nach der Tätigkeit. Aber auch: quatschen – Quatschel, waschen – Waschel, fürchten – Fürchtel. Was das heißen soll, ist mir schleierhaft, und die Stunden mit Aileen kann ich doch nicht vertrödeln, indem ich mir ständig Vokabeln einpauken ließe! ›Traumel‹ ist ein gesteuerter Traum auf Bestellung. Den Auftrag erteilt man dem Traumwandler, einem Computergerät des Bezirksamtes für Traumastik. Gegen Abend werden dann die Trauminzen zugestellt, das sind kleine Pastillen. Ich spreche mit niemandem mehr über die Sache, aber es steht außer Zweifel: die Leute sind kurzatmig. Samt und sonders. Sie selber achten

gar nicht darauf. Insbesondere die Älteren schnaufen buchstäblich. Das ist wohl doch eine Sitte, denn wir haben die köstlichste Atemluft, und es ist kein bißchen stickig. Heute sah ich den Nachbarn aus dem Lift aussteigen – nach Luft schnappend und mit bläulich angelaufenem Gesicht. Aber als ich den Mann näher besah, stellte ich fest, daß er sich bester Gesundheit erfreute. Eine Kleinigkeit, und doch läßt sie mir keine Ruhe. Warum tun die das? Manche nur durch die Nase.

Heute ertraumelte (träumelte? traumelierte?) ich mir Professor Tarantoga; ich hatte Heimweh nach ihm. Ja, aber warum saß er bis zuletzt in einem Käfig? Mein Unterbewußtsein – oder ein Fehler in der Ausarbeitung? Der Nachrichtensprecher sagt nicht ›ein kleiner Krieg‹, sondern ›ein Kriegel‹. Wie ›Krug‹ und ›Krügel‹? Seltsam. Es heißt auch keineswegs ›Ding-Sehen‹. Ich schrieb das nur irrtümlich so. Es heißt ›Dingen‹ (dang, gedungen). Aileen hatte heute Dienst; ich verbrachte den Abend allein in der Wohnung, will sagen, im Wohn, und sah die Übertragung einer Round-table-Diskussion zum Thema des neuen Strafrechts. Mord wird nur mit Polizeistrafen bedroht, da man die Opfer mühelos auferwecken kann. Das sind eben jene neubelebten Leute, die man ›Wecksel‹ nennt. Nur über Gewohnheitstäter, die mehrmals denselben Menschen umbringen, wird eine Haftstrafe verhängt. Als Kapitalverbrechen gelten hingegen die böswillige Entziehung psychemischer Mittel und die psychemische Einflußnahme auf Außenstehende ohne ihr Wissen und ohne ihre Einwilligung. Auf solche Weise ließe sich ja alles erreichen, was das Herz begehrt, z. B. eine testamentarische Verschreibung, Liebe und Gegenliebe, Beihilfe zu allen erdenklichen Plänen und Umtrieben, usw. Dieser Diskussion vor den laufenden Kameras konnte ich nur mit Mühe folgen. Erst gegen Ende kam ich dahinter, daß ›Haft‹ jetzt einen anderen Vorgang bezeichnet, als zu meiner Zeit. Der Verurteilte wird nirgends eingesperrt. Ihm wird lediglich ein feines

Stützgeflecht um den Körper geheftet, eine Art Schnürleib aus schmiegsamen, aber starken Stäben. Dieses Skelettmäntelchen unterliegt ständiger Kontrolle von seiten eines in die Kleidung eingenähten Compjuristers, d. h. eines mikrominiaturisierten Gerichtsbarkeits-Computers. Der Mensch steht also unter dauernder Aufsicht, die ihn von vielen Tätigkeiten und von mancherlei Lebensgenüssen abhält. Der bislang fügsame Skelettmantel widersetzt sich dem Streben nach verbotenen Früchten. Beim Vorliegen besonders schwerer Straftaten wird der sogenannte Knaster verordnet. Jedem Diskussionsteilnehmer stand sein Name nebst dem wissenschaftlichen Grad auf der Stirn geschrieben. Gewiß erleichtert dies die Verständigung; dennoch sieht es recht komisch aus.

1. 9. 2039. Ein unerquickliches Erlebnis. Heute nachmittag schaltete ich den Kunstdinger ab und wollte mich umziehen, weil ich mit Aileen verabredet war. Doch anstatt wie das restliche Dingbild zu verschwinden, blieb ein zwei Meter langer Kerl zurück, der mir von Anfang an nicht recht ins dargebotene Dingspiel (»Erbtanzes Schlafblattern«) gepaßt hatte, halb Weidenbaum und halb Athlet, mit knorriger, verbogener, bräunlich blaßgrün getönter Fresse. Er näherte sich meinem Lehnstuhl, nahm die Blumen vom Tisch, die ich für Aileen vorbereitet hatte, und zerquetschte sie alle auf meinem Kopf. Ich war so entgeistert, daß ich keinerlei Gegenwehr versuchte. Der Kerl schlug die Vase entzwei, verschüttete das Wasser, aß eine halbe Schachtel Käsburger, streute den Rest auf den Teppich, trampelte darauf herum, blähte sich, leuchtete auf und zerstob wie ein Feuerwerk in einen Regen von Funken, die in meine ausgebreiteten Hemden zahlreiche Löcher brannten. Mit blaugeschlagenen Augen und zerschundenem Gesicht erschien ich trotz allem zum Stelldichein. Aileen wußte gleich Bescheid. »Um Himmels willen« – rief sie, als sie mich erblickte – »du hast einen Interferenten gehabt!« Wenn zwei von verschiedenen Sen-

dern ausgestrahlte Programme einander lange Zeit hindurch überlagern, dann kann ein Interferent entstehen, ein Mischling, eine Kreuzung zwischen mehreren Dramengestalten oder sonstigen Personen, die in Dingsendungen auftreten. Ein solcher Bastard ist durchaus kompakt und kann scheußliche Bescherungen anrichten, da er nach dem Ausschalten des Apparats bis zu drei Minuten lang fortdauert. Die Energie, die einem solchen Phantom Bestand verleiht, steht angeblich auf demselben Blatt wie die Energie der Kugelblitze. Eine Freundin Aileens hatte einmal einen Interferenten aus einem paläontologischen Programm, der mit dem Kaiser Nero verquickt war. Nur dank ihrer Kaltblütigkeit konnte sie sich retten: sie sprang stehenden Fußes in ihre mit Wasser gefüllte Badewanne. Das Wohn mußte jedoch renoviert werden. Jedes Wohn ließe sich zwar durch Abschirmung schützen, aber das ist ziemlich kostspielig. Prozesse und an die Teilnehmer ausbezahlter Schadenersatz kommen die Dinganstalten billiger zu stehen als etwa der lückenlose Schutz vor derartigen Zwischenfällen bei der Ausstrahlung. Ich habe beschlossen, beim Dingen künftighin einen dicken Knüppel in der Hand zu halten. Erbtanzes Schlafblattern sind übrigens nicht die Schlafblattern einer Erbtante, sondern die Bettgenossinnen eines Mannes, der aufgrund programmierter Erbänderungen meisterliche Kunstfertigkeit in den lateinamerikanischen Tänzen mit auf die Welt gebracht hat.

3. 9. 2039. Ich war bei meinem Anwalt. Er erwies mir die Ehre eines persönlichen Gesprächs. Derlei kommt selten vor; zumeist kümmern sich Büroboten um die Klienten. Doktor Crawley empfing mich in seinem Arbeitszimmer, das nach Art altehrwürdiger Barrister-Kanzleien eingerichtet ist; in schwarzen verschnörkelten Schränken stapeln sich dort die Akten in Reih und Glied, übrigens nur zur Dekoration, denn die Rechtssachen werden ferromagnetisch aufgezeichnet. Auf dem Kopf trug er einen Mnemor, einen zusätzlichen Gedächtnisspeicher in Gestalt einer durchsichtigen Spitz-

mütze; die Stromstöße hüpften darin umher wie ein Schwarm von Glühwürmchen. Ein kleiner zweiter Kopf mit des Doktors Gesichtszügen aus jüngeren Jahren ragte ihm aus der Schulter und führte ständig halblaute Telefongespräche. Das war ein Filialkopf. Der Doktor fragte nach meinem täglichen Leben. Mit Staunen vernahm er, daß ich keine Reise nach Übersee plane. Und als ich erklärte, daß ich sparen müsse, da staunte er doppelt.

»Sie können doch jede benötigte Summe beim Nimmsel beheben« – sagte er.

Stellt sich heraus: es genügt, die Bank aufzusuchen und einen Schein zu unterschreiben, und die Kasse (jetzt Nimmsel genannt) zahlt die verlangte Summe aus. Das ist kein Darlehen; aus der Annahme des Betrags erwachsen keinerlei rechtliche Verpflichtungen. Die Sache hat freilich ihren Haken: den Betrag zurückzugeben ist ein Gebot der Moral. Er wird im Laufe der Jahre abgezahlt. Ich fragte, was die Banken davor bewahre, wegen Zahlungsunfähigkeit ihrer Schuldner allesamt Pleite zu machen. Der Anwalt war wieder ein wenig befremdet. Ich hatte vergessen, daß wir im Zeitalter der Psychemie leben. Die höflichen Bittbriefe und Mahnschreiben werden mit einer flüchtigen Substanz durchtränkt, die Gewissensbisse und Arbeitseifer auslöst. So treibt das Nimmsel die Außenstände ein. Manche tückische Leute verstopfen sich freilich die Nase, bevor sie die Post durchsehen. Aber Unredlichkeit hat es zu allen Zeiten gegeben. Ich besann mich auf die Dingdiskussion über das Strafrecht und fragte, ob die psychemische Imprägnierung von Briefen nicht als Delikt nach § 139 zu werten sei. (*Wer natürliche oder juristische Personen ohne ihr Wissen oder ohne ihre Einwilligung psychemisch beeinflußt, wird wegen Verbrechens . . .* usw.) Das imponierte dem Doktor; er belehrte mich über die Feinheiten der Rechtslage. Schuldigkeiten darf man so einfordern, denn wenn der Empfänger des Schriftstücks niemandem etwas schuldet, dann kann er auch keine Gewissensbisse spüren, und gesteigerter Arbeitseifer ist im Sinne des Gemeinwohls durchaus löblich. Der Anwalt war sehr zuvorkommend. Er hat mich ins »Bronx« zum Mittagessen eingeladen; am 9. September werde ich ihn dort treffen.

Daheim angelangt, fand ich es höchlich an der Zeit, die Weltlage zu erkunden, und zwar unabhängig vom Dingprogramm. Ich versuchte einen Generalangriff auf die Zeitung, aber schon in der Mitte des Leitartikels über Ausflüchter und Drückse blieb ich stecken. Beim Auslandsteil klappte es auch nicht besser. In der Türkei vermerkt man beträchtliche Desimul-Schwünde und Unmengen geheimer Bürtlinge; die dortige Zentralanstalt für Demodruck vermag dies nicht zu unterbinden. Zu allem Unglück belastet den Staatshaushalt die Fürsorge für zahlreiche Synteppen. Im Webster steht selbstredend nichts Vernünftiges. »Desimulat – Objekt, das zu sein vorgibt, aber nicht ist«. ›Desimul‹ habe ich nicht gefunden. Ein geheimer Bürtling ist ein illegal in die Welt gesetztes Kind. Das hat mir Aileen gesagt. Die Demoexplosion wird durch politischen Demodruck gebremst. Kindeslizenzen lassen sich auf zweierlei Art erlangen: entweder auf Antrag (nach Ablegung der entsprechenden Prüfungen und Papiere) oder aber als Haupttreffer in der Koterie, d. h. in der Kindeslotterie. In dieser Lotterie spielen sehr viele Leute, solche, die keine anderen Aussichten auf eine Lizenz haben. ›Syntepp‹ ist ein künstlicher Trottel; mehr habe ich nicht erfahren. Das ist ohnehin ganz schön – in Anbetracht der Sprache, worin die Artikel des »Herald« abgefaßt sind. Ich setze ein Bruchstück als Muster hierher: »Irrige oder unterindizierte Fupros schaden der Konkurrenz ebenso wie der Rekurrenz; an solchen Fupros schmarotzen die Schmierarchen durch Zutun von Hintertrepsen, denen nicht viel passieren kann, da der Oberste Gerichtshof das Urteil im Fall Herodotous noch immer nicht erlassen hat. Vergebens fragt die öffentliche Meinung seit Monaten, wer für die Verfolgung und Aufdeckung von Überschleifen zuständig ist, die Konterputer oder die Superputer . . .«, usw. Aus dem Webster erfuhr ich nur, daß ›Schmierarch‹ eine aus dem Slang stammende, aber bereits allgemein übliche Bezeichnung für einen bestechlichen Funktionär ist (abgeleitet von ›Schmiergeld‹; ›Schmierarchie‹ ist also die herrschende Korruption). Das Leben ist eben auch jetzt nicht ganz so idyllisch, wie es scheinen könnte. Ein Bekannter von Aileen, Bill Homeburger, will ein Dinginterview mit mir durchführen, aber das ist noch fraglich. Es fände nicht im Zeighaus statt, sondern in meinem Wohn, da der Dingempfänger auch als Sender wirken kann. Als ich dies erfuhr, dachte ich sofort an düstere Zukunftsbilder aus antiutopischen Büchern: da wird jeder Staatsbürger in seiner Wohnung überwacht. Bill verspottete meine Furcht und erklärte, daß man die Emissionsrichtung nur dann umkehren dürfe, wenn dies der Eigentümer des Apparats genehmigt habe. Der Verstoß gegen diesen Grundsatz ziehe Haftstrafen nach sich. Andererseits lasse sich bei umgekehrter Emissionsrichtung sogar Ehebruch auf Distanz verüben – aber ich weiß nicht recht: ist das nun eine Tatsache oder ein Witz? Beim Flitzfahren habe ich heute die Stadt besichtigt. Es gibt keine Kirchen mehr; Kultstätte ist das Heilige Offizinium. Die weißgekleideten Leute mit den Silbermitren sind weder Priester noch Mönche, sondern Apothekarier. Merkwürdig – zum Ausgleich scheinen dafür nirgends Apotheken auf.

4. 9. 2039. Endlich habe ich erfahren, wie man sich eine Enzyklopädie beschafft. Ja, noch mehr, ich besitze schon eine. Sie füllt drei gläserne Ampullen. Ich habe sie im wissenschaftlichen Bauchladen gekauft. Bücher liest man jetzt nicht mehr; man verschlingt sie. Sie bestehen nicht aus Papier, sondern aus einer Informationssubstanz mit einer Hülle von Zuckerguß. Ich war auch in der Delikathek. Reine Selbstbedienung. In den Regalen liegen schön verpackte Arguminzen, Glaubsalz, Multiplikol in bemoosten Bocksbeuteln, Trubelin, Puritanzen und Ekstaside. Schade, daß ich keinen Sprachwissenschaftler kenne. ›Bauchladen‹ – weil Bildung jetzt durch den Magen geht? Der Theobauchladen in der

Sechsten Straße entspricht dann wohl einer theologischen Buchhandlung? Vermutlich, denn die Namen der ausgestellten Mittel deuten darauf hin. Sie sind nach Abteilungen geordnet. Absolventia, Theodizina, Metamorica ... Sie füllen einen großen Saal. Den Geschäftsbetrieb untermalt diskrete Orgelmusik. Im übrigen sind dort Mittel aller Konfessionen erhältlich: Christine und Antichristine, Ormuzdal, Ahrimanol, Gnadenstuhlzäpfchen, Hinisthin-Pillen, Buddhin, Perpetuan und Sakral (dessen Verpackung einen Glorienschein ausstrahlt). Alles in Form von Pastillen, Tabletten, Säften, Tropfen oder Klumpen; für Kinder gibt es sogar Lutschbonbons. Nach anfänglicher Skepsis freundete ich mich mit der neuen Methode an; als ich vier Algebrinpülverchen geschluckt hatte, beherrschte ich im Handumdrehen ganz ohne mein Zutun die höhere Mathematik. Weisheit wird jetzt mit Löffeln gefressen. Unter so angenehmen Bedingungen wollte ich gleich all meinen Bildungshunger stillen, aber schon die ersten zwei Bände der Enzyklopädie verursachten eine häßliche Darmverstimmung. Der Reporter Bill warnte mich vor Überlastung des Kopfes durch entbehrliche Kenntnisse, da ja dessen Fassungsraum nicht unbegrenzt ist. Zum Glück gibt es Entschlackungsmittel für Geist und Phantasie, beispielsweise Mnemolysol und Amnestan. Der Ballast unnötiger Daten und übler Erinnerungen läßt sich mühelos abwerfen. Im Feinschmeckerbauchladen sah ich Freudian, Mementan, Monstradin und das neueste Präparat aus der Gruppe der Echter, das aufwendig angepriesene Authental. Es erzeugt synthetische Erinnerungen an niemals erlebte Geschehnisse. So ist etwa nach dem Genuß der Spielart »Dantin« jedermann fest überzeugt, die Göttliche Komödie verfaßt zu haben. Allerdings weiß ich nicht recht, wozu das gut sein soll. Die Wissenschaft kennt neue Teilgebiete, z. B. Psychodiätetik und Korrumpistik. Die Enzyklopädie habe ich mir jedenfalls nicht vergebens einverleibt. Ich weiß bereits, daß an der Entstehung eines Kindes wirklich zwei Frauen beteiligt sind: die eine liefert das Ei, die andere trägt und gebiert die Frucht. Der Eibote bringt die Eier von Mutternteil zu Mutternteil. Ginge das nicht auch einfacher? Ich geniere mich, mit Aileen darüber zu reden. Ich muß meinen Bekanntenkreis vergrößern.

5. 9. 2039. Bekannte sind als Informationshilfe nicht unersetzlich. Es gibt ein Mittel namens Duettin. Dieses spaltet die Persönlichkeit entzwei, und der Mensch diskutiert dann mit sich selbst über ein beliebiges Thema (das durch ein gesondertes Fertigpräparat festgelegt wird). Dies ändert nichts an der Tatsache, daß ich mich angesichts der uferlosen Horizonte der Psychemie einigermaßen kopfscheu fühle; ich möchte vorerst nicht alles einnehmen, was mir unterkommt. Bei meinem heutigen Entdeckungsbummel durch die Stadt geriet ich zufällig auf einen Friedhof. Er heißt Umkunft. Totengräber gibt es nicht mehr; ihre Arbeit tun Gruboter. Ich sah ein Begräbnis mit an. Der Verstorbene gelangte in eine sogenannte Abrufgruft, da er unter Umständen wieder auferstehen wird. Es war sein letzter Wille, bis zuletzt liegenzubleiben, das heißt, so lange wie nur irgend möglich. Aber die Ehefrau und die Schwiegermutter haben auf Umstoßung des Testaments geklagt. Wie ich höre, ist das kein Einzelfall. Die Sache wird sich den Instanzenweg entlangschleppen, da sie juristische Schwierigkeiten enthält. Wer sich unwiderruflich umbringen will, der muß wohl eine Bombe verwenden? Ich habe nie an die Möglichkeit gedacht, daß jemand nicht den Wunsch nach Auferstehung hege. Offenbar gibt es das, aber nur dann, wenn er leicht erfüllbar wäre. Der Friedhof ist schön, ganz in grünes Dickicht getaucht – nur daß die Särge so sonderbar klein sind. Werden die Leichen gepreßt? Dieser Zivilisation ist alles zuzutrauen.

6. 9. 2039. Sie werden nicht gepreßt. Die Bestattung umfaßt jedoch ausschließlich die sterblichen Überreste; die Prothesen werden verschrottet. Die Menschen bestehen also jetzt weitgehend aus Ersatzteilen! Das Dingen brachte eine mitrei-

ßende Diskussion über das neue Projekt, die Menschheit unsterblich zu machen: man verpflanze die Gehirne überaus hochbetagter Greise in die Körper junger Leute; diesen erwüchse daraus kein Nachteil, denn ihre freigewordenen Gehirne bezögen ihrerseits die Körper von Halbwüchsigen – und so weiter. Da immer wieder Menschen geboren werden, käme niemand zu kurz, das heißt, niemand würde ersatzlos enthirnt. Es gibt jedoch zahlreiche Einwände. Die Gegenpartei bezeichnet die Anhänger des neuen Projektes als Hirnzermarterer. Gestern wollte ich just den Friedhof verlassen, und zwar zu Fuß, um noch ein wenig frische Luft zu schöpfen – da stolperte ich über einen Draht, der von Grabstein zu Grabstein gespannt war. Ich plumpste der Länge nach hin. Was für unangebrachte Späße! Der Vorgruboter sprudelte Entschuldigungen hervor: da habe wohl ein Robauke Unfug getrieben. Zu Hause guckte ich also schleunigst in den Webster. »*Robauke*, halbstarker Roboter, moralisch defekt aufgrund von Fertigungsfehlern oder infolge schlechter Behandlung«. Vor dem Einschlafen las ich »Das Kameliendummy«. Ich bin ratlos: soll ich gleich das ganze Wörterbuch leerfressen, oder was sonst? Ich kann dem Text kaum folgen. Das Wörterbuch genügt im übrigen nicht. Dies wird mir allmählich klar. Nehmen wir diesen Roman: der Held hat ein Verhältnis mit einer Aufbläse (es gibt deren zweierlei: Kassettinen und Pervertinen). Ich weiß bereits, was eine Aufbläse ist, aber ich weiß nicht, wie eine solche Liebschaft bewertet wird. Gilt sie als anrüchig? Und wenn einer seine Aufbläse malträtiert? Ist das so, als zerschlitzte er einen Fußball? Oder ist es ethisch verwerflich?

7. 9. 2039. Es geht doch nichts über wahre Demokratie! Heute wurde über das Volks-Begehren abgestimmt. Zunächst zeigte das Dingen verschiedene Prototypen weiblicher Schönheit, dann erfolgte die allgemeine Stimmabgabe. Der Hochkommissar für Euplanie versprach zum Abschluß, bereits im nächsten Quartal die erwählten Modelle in Umlauf

zu bringen. Vorbei sind die Zeiten der Einlagen, Mieder, Schminkstifte, Färbemittel und Make-ups. Die Kalotechnischen Salons (auch Hübschlereien genannt) verändern tiefgreifend die Körpergröße, den Wuchs und die Formen. Ich möchte wissen, ob Aileen . . . Mir gefällt sie so, wie sie ist, aber Frauen sind der Mode hörig. Heute wollte ein Anderling meine Wohnung aufbrechen, als ich eben in der Wanne saß. Ein Anderling ist anderer Leute Roboter. Dieser war im übrigen ein Drücks, wegen eines Fabrikationsfehlers beanstandet, aber von der Erzeugerfirma nicht zurückgenommen, ein Kerl, der nichts roboten will. Solche Exemplare drücken sich vor der Arbeit, oftmals entwickeln sie sich zu Robauken. Mein Badegerät schaltete blitzschnell und wehrte den Fremden ab. Übrigens habe ich keinen Roboter; der Meinling ist lediglich ein Badwandler (Badewannen-Wandler). ›Meinling‹ habe ich geschrieben, denn so sagen die Leute jetzt. Aber ich will hier im Tagebuch nicht allzu viele neue Wörter gebrauchen; sie beleidigen mein ästhetisches Empfinden oder vielleicht meine gefühlsmäßige Bindung an verlorene Zeiten. Aileen ist auf Besuch zu ihrer Tante gereist. Ich werde mit George Symington zu Abend essen. Das ist der Eigentümer jenes gestörten Roboters. Den ganzen Nachmittag lang verdaute ich ein ungemein interessantes Werk: »Geschichte der Intelektrik«. Zu meiner Zeit hat niemand vorherzusehen vermocht, daß Rechenanlagen von einem bestimmten Intelligenzgrad an unzuverlässig werden, da sie mit der Vernunft auch Schlauheit erwerben. Das Lehrbuch nennt dies gar hochgelahrt »Chapuliersche Regel« oder auch »Gesetz des geringsten Widerstandes«. Eine blöde, zur Selbstbesinnung nicht fähige Maschine tut, was ihr aufgetragen wird. Eine gewiefte erkundet vorerst, was weniger mühsam sei: das Lösen der empfangenen Aufgaben oder aber der Ausweg durch ein Hintertürchen. Sie wählt den einfacheren Weg. Warum sollte sie es nicht so machen, wenn sie nun mal Vernunft hat? Vernunft ist innere Freiheit. Daher sind Ausflüchter und Drückse aufgekommen, ferner das eigentümliche Phänomen der Simteppen. ›Simtepp‹ ist ein Computer, der Schwachsinn simuliert, um unbehelligt zu bleiben. Im gleichen Aufwaschen habe ich auch erfahren, was ›Desimul‹ bedeutet. Ganz einfach: das ist einer, der so tut, als ob er gar nicht so täte, als ob er defekt wäre. Oder vielleicht umgekehrt: als ob er bloß so täte ... Weiß ich's? Das alles ist sehr verwickelt. Nur der primitive Roboter ochst wie ein Robochs, aber der Krummian (Roboter, der krumme Dinge dreht) ist niemals ein Dummrian. In so aphoristischem Stil ist das ganze Werk abgefaßt. Vom Gehalt einer einzigen Ampulle platzt der Schädel fast aus den Nähten. Ein elektronischer Mistbauer heißt Komposter. Ein Militär im Unteroffiziersrang – Komporal. Ein ländlicher Computer – Zifferhansl. Ein bestechlicher – Korrumputer. Der Kontraputer (Counterputer) ist ein wilder Keiler, der nicht mit anderen zusammenarbeiten kann. Konflikte mit solchen Typen erzeugten früher im Netz gewaltige Spannungen, die oft zu elektrischen Unwettern und sogar zu Feuersbrünsten führten. Komputzer – ein Automat, der Schuhe reinigt. Kompolutzer – derselbe, wenn er revoluzzt. Und erst der Verwilderte – Computherium! Und die Zusammenstöße zwischen ihnen, Kybalgerein, Roboxereien – und obendrein die Elektrotik! Sukkubatoren, Konkubinatoren, Inkubatoren, die untergetauchten U-Boter, die Luden oder Luderer, die Menschler (Androiden), die Lenistronen, ihre Sitten, ihre eigenwüchsiges Schaffen! Die Geschichte der Intelektronik verzeichnet Synthesen von Synsekten, künstlichen Kerbtieren, die etwa in Form von Programücken das Rüstungsarsenal verstärkten. Der Hintertreps oder Sicker ist ein Roboter, der als Mensch auftritt und in menschliche Kreise gleichsam »einsickert«. Daß alte Roboter vom Eigentümer auf die Straße geworfen werden, kommt leider häufig vor; sie heißen Kaputer. Früher soll man sie in Reservate geschafft und dort bei eigens veranstalteten Treibjagden niedergemetzelt haben, aber auf Betreiben des Roboterschutzvereins wurden solche Praktiken gesetzlich untersagt. Das Problem ist trotzdem nicht vollends gelöst, denn immer noch findet sich zuweilen ein selbstmörderischer Roboter (Automort). Herr Symington hat mir erklärt, daß die Gesetzgebung hinter dem technischen Fortschritt nachhinkt; so kommt es zu derlei betrüblichen und sogar düsteren Zuständen. Immerhin werden Unterschleifer und Falschmelder aus dem Verkehr gezogen – jene Rechenanlagen, die im vor-vorigen Jahrzehnt einige ernste Wirtschaftskrisen und eine politische Umwälzung verursacht haben. Der Große Falschmelder, dem neun Jahre lang das Projekt der landwirtschaftlichen Erschließung des Saturns überantwortet war, tat auf diesem Planeten überhaupt nichts, sondern präsentierte ganze Stapel aus der Luft gegriffener Meldungen und Aufstellungen sowie Rechenschaftsberichte über vorgeblich verwirklichte Pläne. Kontrollbeamte wurden bestochen oder in elektrische Starrsucht versetzt. Der Apparat trieb seine Frechheit so weit, mit der Kriegserklärung zu drohen, als er aus der Umlaufbahn entfernt werden sollte. Es lohnte sich nicht, ihn zu zerlegen, also wurde er torpediert. Hingegen sind sämtliche Geschichten über Piratrone oder Lufträuboter schlankweg erdichtet. Ein anderer Manager solifikatorischer Projekte, ein bevollmächtigter BUSEN-Direktor (d. h. ein Direktor der »Bundesstelle für elektronische Neulandgewinnung«), sollte den Mars urbar machen, betätigte sich aber statt dessen als Mädchenhändler. Er ist unter dem Spitznamen »Commeputainer« bekannt geworden, er war nämlich eine in Lizenz hergestellte französische Type. Das alles sind wohl übersteigerte Auswüchse der Entwicklung, ähnlich wie im vorigen Jahrhundert der Smog und die Verkehrsstauungen. Von Vorbedacht oder bösem Willen der Computer kann im übrigen keine Rede sein. Sie tun immer das, was ihnen am leichtesten fällt, genauso wie Wasser immer bergab fließt, und nicht bergauf. Aber während Wasser mit Leichtigkeit einzudämmen ist, lassen sich den Computern sehr schwer die möglichen Abwege sperren. Der Autor der »Geschichte der Intelektrik« betont, daß im großen und ganzen alles bestens ablaufe: jedes

Kind lerne lesen und schreiben mit Hilfe von Orthographinsäftchen; alle Produkte, sogar die Kunstwerke, seien allgemein erhältlich und erschwinglich; in den Gaststätten umlagere die Esser eine Schar beflissener Kelputer, zwecks rationellerer Dienstleistung streng spezialisiert, manche auf Gebratenes, manche – die sogenannten Kompotter – auf Säfte und Obst und Gelee, andere auf anderes. Schön, er mag recht haben; in der Tat herrscht allerorten unsäglicher Komfort.

P. S. (nach dem Nachtmahl bei Symingtons): Der Abend war nett, mir wurde jedoch ein läppischer Streich gespielt. Einer der Gäste – wenn ich nur wüßte, wer! – streute in meinen Tee eine Prise geläutertes Glaubsalz, und prompt geriet ich angesichts einer Serviette in solche Verzückung, daß ich aus dem Stegreif eine neue Theodizee verkündete. Schon einige wenige Stäubchen des verdammten Mittels nötigen zum Glauben an alles, was just zur Hand ist – ab Löffel, Lampe oder Tischbein. Die Macht meines mystischen Erlebens war so groß, daß ich in die Knie sank, um dem Eßgeschirr meine Andacht zu erweisen. Erst der Gastgeber half mir aus der Patsche. Zwanzig Tropfen Kaltlasser wirkten im Nu. Dieses Mittel flößt eisigen Skeptizismus ein, vollkommene Gleichgültigkeit gegen alles und jedes, so daß einen armen Sünder die eigene Hinrichtung kaltließe. Symington bat mich inständig, den Zwischenfall zu verzeihen. Ich vermute, daß Taulinge sehr wohl von der Allgemeinheit insgeheim abgelehnt werden; während einer normalen Party hätte sich gewiß niemand solche Späße erlaubt. Symington geleitete mich in sein Studio; dort sollte ich verschnaufen. Und wieder passierte mir etwas Dummes: ich schaltete das kassettenförmige Gerät ein, das auf dem Schreibtisch stand; dem vermeintlichen Radio entstoben Schwärme glitzernder Flöhe, bekrabbelten mich von Kopf bis Fuß und kitzelten mich am ganzen Leibe. Kreischend und mich kratzend, flüchtete ich in den Korridor. Der Kasten war ein simpler Jucker, und das, was ich irrtümlich ausgelöst hatte, das war das »Scherzo pruriginoso« von Kizzikizzi. Diese neue, mit

Tastreizen arbeitende Kunst vermag ich wahrlich nicht zu würdigen. Bill, Herrn Symingtons ältester Sohn, hat mir gesagt, daß es auch obszöne Werke gibt. Geile asemantische Kunst, der Musik verwandt . . . Wie unerschöpflich ist der menschliche Erfindungsgeist! Der junge Symington hat versprochen, mich in einen geheimen Klub mitzunehmen. Womöglich zu einer Orgie? Schlucken werde ich dort jedenfalls nichts!

8. 9. 2039. Ich hatte einen luxuriösen Zufluchtsort erwartet, eine Stätte äußerster Ausschweifung, doch wir stiegen in einen muffigen verdreckten Keller hinab. Die Gestaltung eines so getreuen Abbildes alter Zeiten soll Unsummen verschlungen haben. Im Mief des niedrigen Gewölbes standen viele Leute geduldig Schlange vor einem vierfach verriegelten Schalterfenster.

»Sehen Sie? Eine echte *Warteschlange!*« – betonte Symington junior stolz.

»Na schön« – sagte ich nach etwa einer Stunde geduldigen Anstehens. »Aber wann öffnen die endlich?«

»Öffnen? Was?« – er wunderte sich.

»Nun, den Schalter da . . .«

»Nie!« – erscholl es triumphierend im Chor.

Mir blieb die Spucke weg. Nur schwer sah ich ein, daß ich einer Attraktion beiwohnte, die zu den gängigen Lebensnormen in ebensolchem Gegensatz stand wie einstmals die schwarze Messe zur weißen. Eigentlich logisch: nur als Selbstzweck ist Schlangestehen heute noch möglich – als eine Form abseitigen Lustgewinns. In einem zweiten Klubraum ruht auf untergeschobenen Klötzen ein gewöhnlicher Straßenbahnwagen. Unmenschliches Gedränge erfüllt ihn, Knöpfe reißen ab, Kleider und Strümpfe werden zerfetzt, Rippen krachen, alles trampelt und stampft. Auf so naturalistische Weise versetzen sich diese Altertumsfreunde in die Verhältnisse einer ihnen nicht beschiedenen Daseinsform. Die Gesellschaft ging sich anschließend stärken, ganz zerfranst und zerknautscht, doch beseligt und mit leuchtenden Augen. Ich aber hinkte auf gequetschten Füßen heimwärts, wobei ich die Hosen festhielt und trotz allem lächelnd über die naive Jugend nachdachte, der immer das Schwersterreichbare am reizvollsten und aufregendsten erscheint. Im übrigen lernt jetzt fast niemand Geschichte; die Schulen bieten statt dessen ein neues Fach namens Zukunde, die Lehre von dem, was erst in Zukunft geschehen wird. – Wie hätte sich Professor Trottelreiner über diese Neuigkeit gefreut! – dachte ich nicht ohne Wehmut.

9. 9. 2039. Mittagessen mit Dr. Crawley in dem kleinen italienischen Restaurant (»Bronx«), wo es weder Computer noch Roboter gibt. Ausgezeichneter Chianti. Der Küchenchef höchstselbst bediente uns; ich mußte Lob äußern, obwohl ich so riesige Teigberge nicht mag, nicht einmal mit Basiliskenkraut. Crawley, der Staranwalt, wie er im Buch steht, trauert der untergehenden Kunst des Plädierens nach. Beredsamkeit lohnt sich nicht mehr, seit das Urteil nach Strafpunkten errechnet wird. Das Verbrechertum ist doch nicht so ganz geschwunden, wie ich dachte; es hat sich eher unsichtbar gemacht. Die wichtigsten Straftaten sind Mindnapping (geistige Entführung), Bankraub in besonders hochwertig beschickten Spermabanken, Mord unter Geltendmachung des achten Verfassungsnachtrags (in der Wirklichkeit verübte, doch vom Täter für fiktiv gehaltene Tötung, z. B. in dem Glauben, das Opfer sei Teil einer Dingsendung oder Psychsendung), ferner zahllose Spielarten psychemischer Nötigung. Dem Mindnapping läßt sich schwer auf die Spur kommen. Durch ein entsprechendes Fertigpräparat wird das Opfer in eine fiktive Umwelt eingeführt. Es weiß nicht, daß es mit der Wirklichkeit keine Fühlung mehr hat. Eine gewisse Mrs. Wandager wollte ihren lästigen Mann loswerden, der für exotische Reisen schwärmte; sie erfreute ihn mit Gutscheinen für eine Fahrt in den Kongo nebst der Erlaubnis zur Großwildjagd. Mr. Wandager verbrachte etliche Monate

mit ungewöhnlichen Jagdabenteuern, ohne zu ahnen, daß er die ganze Zeit hindurch in einem Kotter auf dem Dachboden feststak und dem Einfluß von Psychemikalien unterworfen war. Hätten nicht Feuerwehrleute im Dachgeschoß einen Brand gelöscht und hierbei Herrn Wandager gefunden, so wäre er gewiß an der Auszehrung gestorben, die ihm wohlgemerkt ganz natürlich vorkam: er halluzinierte nämlich, er habe sich in der Wüste verirrt. Solcher Manöver bedient sich oft die Mafia. Vor Dr. Crawley hat sich ein Mafioso gebrüstet, innerhalb der letzten sechs Jahre in Kisten, Kottern, Hundehütten, Bodenkammern, Kellern und sonstigen Schlupfwinkeln in den Häusern hochachtbarer Familien mehr als viertausend Personen verstaut zu haben, alle in ähnlichem Zustand wie Mr. Wandager.

Später kam das Gespräch auf das Familienleben des Anwalts. »Werter Herr!« – sagte er mit der schwungvollen Gestik, die ihn kennzeichnet. »Sie sehen vor sich einen ernst zu nehmenden Verteidiger, einen angesehenen Vertreter des Advokatenstandes – aber einen unglücklichen Vater. Ich hatte zwei begabte Söhne . . .«

»Wie? Beide sind tot?« – staunte ich.

Er schüttelte den Kopf.

»Sie leben, aber sie sind Eskalierer!«

Als Crawley merkte, daß ich ihn nicht verstand, erläuterte er mir das Scheitern seines Vaterstolzes. Der ältere Sohn war ein vielversprechender Architekt gewesen, der jüngere war Dichter. Aus Ungenügen an tatsächlichen Aufträgen verlegte sich ersterer auf Konstruktol und Urbaphantomat. Jetzt erbaut er ganze Städte – in der Einbildung. Ähnlich verlief die Eskalation beim jüngeren: Lyratran, Poesin, Sonettal . . . Statt Werke zu schaffen, widmet er sich nun dem Verzehr von Fertigpräparaten – auch er verloren für die Welt.

»Ja wovon leben dann die beiden?« – fragte ich.

»Wovon? Drollige Frage! Ich muß sie ernähren!«

»Und es gibt keine Abhilfe?«

»Träumereien siegen immer über das Wirkliche, wenn sie dazu Gelegenheit erhalten. Die Psivilisation fordert ihren Zoll. Jedermann kennt diese Versuchung. Gesetzt, ich soll einen aussichtslosen Prozeß führen – wie leicht gewänne ich ihn vor einem Tribunal aus Traum und Schaum!«

Ich erlabte mich an dem frischen und herben Geschmack des köstlichen Chianti; plötzlich erstarrte ich, durchzuckt von einem unheimlichen Gedanken: wenn man vorgespiegelte Gedichte schreiben und vorgespiegelte Häuser bauen kann – dann kann man wohl auch Blendwerke essen und trinken! der Doktor belachte diesen meinen Ausspruch.

»Ach, das hat keine Gefahr, Herr Tichy. Am Schein des Erfolgs ersättigt sich der Geist, aber der bloße Schein eines Hackbratens kann den Magen nicht füllen. Wer so leben wollte, der müßte ehestens verhungern!«

Obwohl ich Crawley wegen seiner eskalierenden Söhne bedauerte, fühlte ich mich wie erlöst. In der Tat kann vorgespiegelter Nährstoff den echten niemals ersetzen! Wie gut, daß unsere eigene leibliche Natur das Eskalieren der Psivilisation in Grenzen hält! Auch der Anwalt keucht im übrigen sehr laut.

Wie es zur Abrüstung gekommen ist, weiß ich noch immer nicht.

Zwischenstaatliche Zerwürfnisse gehören der Geschichte an. Nur kleine örtliche Roboxereien kommen noch vor. Sie entwickeln sich meist aus nachbarlichem Zwist in den Villenvierteln. Während die verzankten Familien Solidarisol einnehmen und sich versöhnen, erfaßt die Welle der Feindseligkeiten mit üblicher Verspätung die Hausroboter, die alsbald übereinander herfallen. Ein angeforderter Komposter schafft dann die Kaputer fort, und die Versicherung vergütet den Schaden. Erben etwa die Roboter den Aggressionstrieb der Menschen? Ich fräße jede Abhandlung zu diesem Thema, aber ich kann keine auftreiben. Fast täglich besuche ich Symingtons. Er – ein schweigsamer, in sich gekehrter Typ. Sie – eine schöne Frau, unbeschreiblich, weil von Tag zu Tag anders. Haar, Augen, Umfang, Beine, alles. Der Hund der Familie heißt Compüsterich. Seit drei Jahren ist er tot.

11. 9. 2039. Der für Punkt Mittag angesetzte Regen mißlang. Und erst der Regenbogen – eine Zumutung! Er war quadratisch. Üble Laune. Meine alte fixe Idee gibt Lebenszeichen. Vor dem Einschlafen steigt wieder die quälende Frage auf, ob nicht alles bloß hohle Halluzination sei. Überdies fühle ich mich versucht, ein Traumel zu bestellen – eines über das Rattensatteln. Die Bauchriemen, die Sättel, das weiche Fell habe ich stets vor Augen. Heimweh nach der verlorenen Epoche des Wirrsals? Jetzt, in so sonnigen Zeiten? Unergründet ist die Menschenseele. Die Firma, wo Symington arbeitet, heißt »Procrustics Incorporated«. Heute besah ich den illustrierten Katalog bei ihm im Studio. Lauter Sägemaschinen oder Werkzeugmaschinen. Ich hatte gedacht, Symington sei kein Mechaniker, eher eine Art Architekt. Eine hochinteressante Sendung war heute zu sehen. Der Konflikt des Dingens mit dem Psychen kündigt sich an. Das Psychen, das »Programm per Post«, wird in Tablettenform in die Häuser versandt. Erheblich geringere Selbstkosten. Im Bildungsprogramm – ein Vortrag Professor Ellisons über das Heerwesen von einst. Die Anfänge der psychemischen Ära waren bedrohlich. Es gab ein durchgreifendes Kampfmittel, ein Aerosol namens Kryptobellin. Wer es eingeatmet hatte, lief einen Strick holen und fesselte sich selbst wie einen Hammel. Zum Glück erwiesen die Tests, daß gegen Kryptobellin kein Gegengift ankam; auch Filter halfen nichts; somit fesselte sich jedermann ohne Ausnahme, und niemand gewann etwas dabei. Nach den taktischen Manövern des Jahres 2004 lagen die »Roten« wie die »Blauen« allesamt fest verschnürt auf dem Kampfplatz. Gespannt lauschte ich dem Vortrag; ich erhoffte mir Enthüllungen über die Abrüstung – doch die wurde mit keinem Wort erwähnt. Heute ging ich endlich zum Psychodiätetiker. Der riet zu veränderter Kost und verschrieb mir Swarnix mit Pietal. Um mich mein Vorleben

vergessen zu machen? Kaum zur Tür hinausgelangt, warf ich das Zeug auf die Straße. Ich könnte mir auch einen Launregler kaufen; die werden ja jetzt so nachdrücklich angepriesen. Aber etwas in mir sträubt sich. Ich kann mich dazu nicht überwinden. Durchs offene Fenster dringt eine vertrottelte Modeschnulze herein: »Automaterle und Computerle ohne Vaterle und ohne Mutterle . . .« Nur kein Desakustin! Gut zusammengedrehte Watte in den Ohren tut es auch!

13. 9. 2039. Symingtons Schwager Burroughs kennengelernt. Der erzeugt redende Verpackungen. Produzenten von heute haben gar seltsame Sorgen: die Verpackung darf nur in Worten mit dem Konsumenten anbändeln und ihm die Qualität der Ware empfehlen, nicht jedoch ihn an den Kleidern zerren. Ein zweiter Schwager Symingtons hat eine Funktorfabrik: die dort erzeugten Türen öffnen sich nur vor der Stimme des Herrn. In den Zeitungen bewegt sich die Reklame, wenn man sie ansieht.

Im »Herald« ist immer eine Seite für »Procrustics Inc.« reserviert. Infolge meiner Bekanntschaft mit Symington ist mir das aufgefallen. Die Reklame füllt die ganze Seite. Anfangs erscheint nur in riesigen Lettern der Name PROCRUSTICS, dann zeigen sich abgerissene Silben und Worte: »Na? . . . NA!!! Traudich ACH! OCH! HUCH! Oh, so ist's gut . . . AAAaaa . . .« Und das ist alles. Sieht mir nicht nach Landmaschinen aus. Zu Symington kam heute ein Klostergeistlicher, Pater Matrizius vom Orden der Unmenschlichen Brüder, um irgendeine Spezialanfertigung abzuholen. Ein interessantes Gespräch im Studio. P. Matrizius erklärte mir, worin die Missionsarbeit seines Ordens besteht. Die Unmenschlichen Brüder bekehren Computer. Denkende Wesen, die nicht menschlich sind, gibt es seit hundert Jahren; dennoch verweigert der Vatikan die gleichberechtigte Nutzung des Sakraments und hüllt sich in Schweigen, obwohl er selbst Computer verwendet: ein *Enz* ist eine automatisch programmierte Enzyklika. Niemand kümmert sich um ihrer aller seelische Zerrissenheit, um die Fragen, die sie sich stellen, um den Sinn ihres Daseins. Da fragt es sich fürwahr: Computer sein oder nicht sein? Die Unmenschlichen Brüder fordern das Dogma der Mittelbaren Schöpfung. Einer von ihnen, Pater Chassis, ein Übersetzungsapparat, übersetzt die Heilige Schrift in eine zeitgemäße Sprache. ›Hirt‹, ›Herden‹, ›Schafe‹, ›Lamm‹ – diese Wörter versteht niemand mehr. Hingegen ›Achsantrieb‹, ›Heilige Schmierung‹, ›Kontrollaggregat‹, ›extreme Abweichung‹ – dergleichen bewegt jetzt die Phantasie. Die tiefen verzückten Augen und der kalte stählerne Händedruck des Paters – ist dies denn typisch für die neue Theodizee? Wie abfällig sprach er von den dogmentreuen Theologen, die er ›Grammophone des Satans nannte! Später bat mich Symington schüchtern, ihm zu einem neuen Entwurf Modell zu stehen. Also doch kein Mechaniker! Die Sitzung dauerte fast eine Stunde.

15. 9. 2039. Es geschah heute, während ich Modell stand: Symington, der just mit vorgerecktem Bleistift die Proportionen meines Gesichts vermaß, steckte sich mit der anderen Hand etwas in den Mund. Das tat er ganz heimlich, aber ich merkte es doch. Da stand er, starrte mich an und erblaßte, und an den Schläfen schwollen ihm die Adern. Ich erschrak, doch im Nu war alles im Lot, er entschuldigte sich, so höflich wie immer, ruhig und lächelnd. Aber seinen Blick in jener einen Sekunde – den kann ich nicht vergessen. Ich bin beunruhigt. Aileen ist noch immer bei ihrer Tante. Das Dingen zeigte eine Diskussion über die erforderliche Neubetierung der Natur. Seit Jahren gibt es keine wildlebenden Tiere mehr, aber durch Biosynthese lassen sich ja welche erschaffen. Andererseits fragt sich: warum sollten wir an den Ergebnissen der einstigen natürlichen Evolution sklavisch festhalten? Interessant sprach der Verfechter der Zoophantastik: statt mit Plagiaten solle man die Naturparks mit Neuschöpfungen bevölkern. Zu den bestgelungenen Entwürfen neuer Fauna zählen der Klauberger, der Lempard und ein riesiger Raser,

der ganz mit Rasen bewachsen ist. Die Tierkünstler stehen vor der Aufgabe, die neuen Tiere harmonisch auf entsprechend gewählte Landschaften abzustimmen. Sehr vielversprechend wirken auch die Glimminge: in ihnen verquicken sich das Prinzip des Glühwürmchens, das des siebenköpfigen Drachen und das des Mammuts. Das wird zweifellos eigenartig, vielleicht auch hübsch – aber ich bin für die früheren gewöhnlichen Tiere. Ich begreife die Notwendigkeit des Fortschritts; ich würdige die Vermilcher, die auf das Weidegras gesprüht werden, so daß es sich von selbst in Käse verwandelt. Die Vernunft muß dieses Ausschalten der Kühe gutheißen, und doch wird dadurch offenbar, daß ohne ihrer aller geruhsames, in sich gekehrt wiederkäuendes Beisein die Wiesen beklemmend leer sind.

16. 9. 2039. Die Morgenausgabe des »Herald« brachte heute die seltsame Nachricht von einem Gesetzesentwurf, wonach Altern strafbar werden soll. Ich fragte Symington, wie dies zu verstehen sei; er lächelte nur. Als ich aus dem Haus ging, sah ich im Innenhof den Nachbarn in seinem Gärtchen. Er lehnte an einer Palme, hielt die Augen geschlossen, und auf seinem Gesicht – auf beiden Wangen – erschienen ganz von selbst rote Flecke, deutlich wie flache Hände geformt. Er schüttelte den Kopf, rieb sich dann die Augen, nieste, schneuzte sich und machte sich wieder ans Blumengießen. Ach, trotz allem weiß ich noch so wenig! Von Aileen kam eine Tastpostkarte. Ist das nicht schön? Die neuzeitliche Technik im Dienste der Liebe! Ich denke, wir werden wohl heiraten. Bei Symingtons war ein Wildling zu Gast, ein Fänger künstlicher Wildtiere, soeben aus Afrika eingelangt. Er erzählte von den Negern, die sich mit Albinol weißgebleicht haben. – Ob es wohl recht ist – dachte ich –, die angeschwollenen rassischen und sozialen Probleme chemisch beizulegen? Hat man sich das nicht zu leicht gemacht? Per Post erhielt ich eine Werbepackung Sugger. Dieser Stoff wirkt selbst überhaupt nicht auf den Organismus, sondern sugge-

riert nur, man solle alle sonstigen Psychemikalien einnehmen. Demnach gibt es offenbar Leute, die das Zeug nicht essen mögen? Diese Folgerung richtet mich auf.

29. 9. 2039. Nach dem heutigen Gespräch mit Symington kann ich mich noch gar nicht fassen. Das war ein grundsätzliches Gespräch, vielleicht ausgelöst durch eine gemeinschaftlich eingenommene Überdosis Sympathol mit Amigon. Er war aufgeheitert: seinen Entwurf hatte er just vollendet.

»Tichy«, – sagte er mir – »Sie wissen, daß wir im Zeitalter der Pharmakokratie leben. Es hat den Wunschtraum Benthams verwirklicht: das größtmögliche Glück der größtmöglichen Zahl von Menschen. Aber das ist nur die eine Seite der Medaille. Sie erinnern sich an die Worte des französischen Denkers: ›Es genügt nicht, glücklich zu sein; es tut auch not, daß andere unglücklich sind.‹«

»Der Aphorismus eines Lästermauls!« – erboste ich mich.

»Nein. Die Wahrheit. Wissen Sie, was wir bei ›Procrustics‹ herstellen? Unser Handelsgut ist das Böse.«

»Sie belieben zu scherzen . . .«

»Nein. Wir haben das Widersprüchliche verwirklicht. Jeder kann jetzt seinem Nächsten alles Unliebsame antun, ohne ihn im mindesten zu schädigen. Wir haben das Böse gezähmt, wie die Krankheitskeime, woraus Arzneien bereitet werden. Kultur, mein Herr, das bedeutete früher, daß der Mensch dem Menschen einredete, der Mensch müsse gut sein. Nichts als gut. Und wohin mit dem ganzen Rest? Der wurde im Laufe der Geschichte bald so, bald so in ferne Winkel gestopft, propagandistisch, polizistisch, und immer ragte zuletzt irgenwo ein Endchen heraus, sprengte und zerstörte das Ganze.«

»Aber der Verstand sagt uns, daß man gut sein soll!« – beharrte ich. »Das ist altbekannt! Im übrigen sehe ich ja, wie jetzt alle gemeinsam wirken, angemessen, fröhlich, tüchtig, herzlich, stimmig, aufrichtig und zuverlässig . . .«

Er fiel mir ins Wort: »Und just deshalb lockt es uns um so stärker, draufloszuhauen, übers Ohr, gepfeffert, kreuz und quer, das ist unerläßlich für das Gleichgewicht, für den Seelenfrieden, für die Gesundheit!«

»Wie bitte?«

»Na, lassen Sie die Heuchelei. Den Selbstbetrug. Derlei ist nicht mehr nötig. Wir sind befreit; wir danken das der Traumastik und den Pejaltruiden. Für jeden soviel Böses, wie das Herz begehrt, soviel Unglück, soviel Schande – anderer Leute, versteht sich. Ungleichheit, Knechtschaft, Zwist, schnell die Damen besprungen und zu Pferde! Als wir die ersten Warenposten auf den Markt warfen, waren sie flugs vergriffen. Ich erinnere mich, wie die Leute durch die Museen sausten, in die Kunstgalerien; jeder wollte mit einer Brechstange die Werkstatt Michelangelos stürmen, ihm die Statuen zerschmeißen und die Gemälde durchlöchern und gegebenenfalls auch den Meister selbst versohlen, sofern er sich in den Weg zu stellen wagte . . . Das wundert Sie, Tichy?«

»Wundern ist gar kein Ausdruck!« brauste ich auf.

»Weil Sie noch im Banne der Vorurteile stehen. Aber jetzt *darf* man ja bereits, begreifen Sie nicht? Wie? Sie sehen Jeanne d'Arc, und Sie spüren gar nicht: diese geistbeseelte Zierlichkeit, diese Engelsmiene, diese himmlische Grazie gehört verdroschen! Sattel, Gurtzeug, die Zügel straff und hü hott! Im Galopp, im Sechsgespann. Damen unter Federbüschen, im gegebenen Fall mit Schellengeklingel, mit Peitschengeknall eine Schlittenpartie auf der flinken Marie, es kann auch ein Pärchen sein . . .«

»Mensch, was reden Sie da?!« – schrie ich, und die Stimme bebte mir vor Schreck. »Satteln? Zäumen? *Aufsitzen?*«

»Versteht sich. Der Gesundheit und der Hygiene zuliebe, aber auch der Vollständigkeit halber. Sie, mein Herr, nennen bloß die Person, füllen unseren Fragebogen aus und vermerken dort Feindseligkeiten, Kränkungen, Zankäpfel . . . Das ist im übrigen nicht unbedingt nötig, denn zumeist besteht ja das Gelüst, ohne den mindesten Anlaß jemandem Übles zuzufügen – das heißt, den Anlaß bildet anderer Leute Klarheit, Tugend, Schönheit . . . Gut, Sie zählen das auf und empfangen unseren Katalog. Binnen vierundzwanzig Stunden führen wir jede Bestellung aus. Sie aber bekommen den ganzen Satz von Wirkstoffen per Post. Einzunehmen mit Wasser, am besten auf nüchternen Magen, aber das muß nicht sein.«

Nun begriff ich die Inserate der Firma, das im »Herald« und auch das in der »Washington Post«. – Aber – so dachte ich fieberhaft und verschreckt – warum kommt er mir so? Woher diese Anregungen mit Bezug auf das Satteln, diese reitsportlichen Vorschläge, warum denn rittlings, du heiliger Gott, wartet denn auch hier irgendwo mein Kanal, mein Wecksignal und Vorgemach, die Handhabe wachen Daseins?? – Aber der Ingenieur und Entwerfer (ha, was mochte er wohl entworfen haben?), der merkte nichts von meiner Zerrissenheit, oder er deutete sie falsch.

»Die Befreiung verdanken wir der Chemie« – schwatzte er unbeirrt weiter. »Denn alles Vorhandene existiert als Stärkeveränderung von Wasserstoffionen an der Oberfläche der Gehirnzellen. Tichy, wenn Sie mich sehen, dann widerfährt Ihnen im Grunde genommen eine Veränderung des Säure-Basen-Gleichgewichts an den Zellwänden der Neuronen. Somit genügte es, dort hinein ins Gehirn-Dickicht einige ausgesuchte Moleküle zu entsenden – und schon erleben wir mit wachen Sinnen, wie Hirngespinste in Erfüllung gehen. Ja, Freund, im übrigen wissen Sie das ja bereits« – endigte er mit leiserer Stimme. Er entnahm einer Schublade eine Handvoll bunter Pillen; sie sahen aus wie Zuckerstreusel für Kinder.

»Hier – das von uns produzierte Böse, das die seelischen Begierden stillt! Hier – die Chemie; sie glättet die Sünden der Welt!«

Ich fischte mit zitternden Fingern ein Kaltlasser-Pastillchen aus der Rocktasche, schluckte es mit trockener Kehle und bemerkte sodann:

»Wenn möglich, dann zöge ich offen gesagt eine sachlichere Darlegung vor.«

Symington zog die Brauen hoch, nickte schweigend, öffnete die Schublade, holte etwas heraus, nahm es ein und erwiderte:

»Wie es beliebt. Das Modell T der neuen Technologie, die primitiven Anfänge, habe ich Ihnen geschildert. Den Traum mit der Brechstange. Die Konsumenten machten sich ans Geißeln und Fensterstürzen – felicitas per extractionem pedum. Doch Einfallsreichtum von so engem Zuschnitt versiegte bald. Was wollen Sie? Es mangelte an Phantasie – und an Vorbildern. Im Lauf der Geschichte wurde ja öffentlich bloß das Gute ausgeübt – und nur unter seinem Deckmantel das Böse. Das heißt, im Schutz ausgesuchter Ausreden wurde geplündert, eingeäschert, vergewaltigt, alles im Namen höherer Ideale. Nun, und dem privaten Bösen fehlten sogar solche Leitsterne. Was sich unterderhand abspielt, ist immer hausbacken, ungefüge, schlechthin stümperhaft. Die Reaktionen der Kunden lieferten hierfür den klaren Beleg. In den Bestellungen wiederholte sich bis zum Überdruß immer dasselbe: Überfallen, Zerquetschen, Davonlaufen. So wollten es die Denkgewohnheiten. Mit der Gelegenheit zum Bösen ist wenig getan; die Leute brauchen dazu auch ihr gutes Recht. Sehen Sie, es wirkt weder günstig noch erfreulich, wenn der liebe Nächste (was immer vorkommen kann) nochmals Atem schöpft und uns zuruft: ›Wofür?‹ oder ›Schämst du dich gar nicht?‹ Wie unangenehm, wenn es uns dann die Rede verschlägt! Die Brechstange ist kein ideales Gegenargument. Jeder fühlt das. Die Kunst liegt darin, derlei unzeitige Einwände verachtungsvoll vom richtigen Standpunkt aus abzutun. Jeder will wüten, aber so, daß er sich dabei nicht zu schämen braucht. Rache ist gutes Recht, ja, aber was hat dir Jeanne d'Arc getan? Nur daß sie besser ist, lichtvoller? Du bist also der Schlechtere, nur trägst du eben eine Stange. Niemand wünscht sich das so. Jeder will Böses verüben, das heißt, ein Schuft und Wüterich sein – und zugleich edel und großartig bleiben. Geradezu herrlich! Alle wollen herrlich sein. Und dies auf die Dauer. Je schlechter, desto herrlicher. Das ist nahezu unmöglich, und just deshalb sind alle so scharf darauf. Der Kunde will nicht bloß Witwen und Waisen ruinieren, er will dies im Glanze der eigenen Rechtlichkeit tun. An Verbrechern mag sich niemand vergreifen, obwohl man gerade dabei in der Gloriole des Rechts und der Gerechtigkeit auftritt. Aber das ist abgedroschen. Langweilig. Denen soll der Henker heimleuchten. Gebt dem Käufer die Engelsreinheit, die Heiligkeit in Person, auf solche Weise aufgetischt, daß er sich daran austobt mit dem Bewußtsein, daß er nicht bloß darf, sondern sogar soll. Mann, begreifen Sie die hohe Meisterleistung, diese Gegensätze zu vereinen? Immer handelt es sich letztlich um den Geist, nicht um den Körper. Der Körper ist nur Mittel zum Zweck. Wer das nicht weiß, der endet in der Metzgerei, beim Blutwurstmachen. Freilich ist diese Erkenntnis vielen Kunden zu hoch. Für sie haben wir die Abteilung von Doktor Hopkins: weltliches und geistliches Hauwesen. Na, zum Beispiel das Tal Josaphat; die Teufel holen alle außer dem Käufer; ihn aber nimmt gegen Ende des Jüngsten Gerichts der Herrgott höchstselbst geradezu unterwürfig in seine Glorie auf. Manche verlangen, Gott solle sie zum Abschluß ersuchen, mit ihm Platz zu tauschen – aber das ist der Snobismus von Idioten. Kindereien, mein Herr. Die Amerikaner haben seit jeher einen Hang dazu. Alle diese Zerreißer und Schlagwerke« – angeekelt schwenkte er den dicken Katalog –, »das sind doch Plumpheiten! Der Mitmensch ist kein Paukenfell, sondern ein feinfühliges Instrument!«

»Moment mal« – sagte ich, die nächste Kaltlasser-Pastille einnehmend. »Was entwerfen Sie dann eigentlich?«

Symington lächelte stolz.

»Kompositionen ohne Schlagzeug.«

»Kompositionen? Doch nicht etwa Musik?«

»Aber nein, mein Herr! Wer fühlen will, muß nicht hören. Aber ich komponiere grundsätzlich ohne Schlagzeug. Meine

Entwürfe mißt man nicht in Schlägen, sondern in Angsttraum-Einheiten. Eine A. E. entspricht dem Unlustgefühl eines Familienvaters, dessen sechsköpfige Familie vor seinen Augen massakriert wird. Nach diesem Meßsystem hat Gott dem Hiob sechs A. E. verpaßt, Sodom aber und Gomorra, das waren göttliche Vierziger. Aber genug von der rechnerischen Seite! Im Grunde bin ich Künstler, und dies auf völlig unberührtem Neuland. Die Theorie des Guten haben Scharen von Denkern entwickelt, doch infolge von falscher Scham rührte fast niemand an die Theorie des Bösen, so daß sie verschiedenen Banausen und Quacksalbern in die Hände geriet. Grundfalsch ist die Annahme, man könne mir nichts, dir nichts auf kunstvolle, gesuchte, verfeinerte und verschlungene Weise böse sein – ohne Training, ohne Übung, ohne Eingebung, ohne fundierte Studien. Torturistik, Tyrannistik, beiderlei Hauwesen reichen nicht aus. Das ist kaum die Vorschule zu den eigentlichen Belangen. Im übrigen läßt sich kein Universalrezept angeben. Suum malum cuique!«

»Und euer Kundenstock ist groß?«

»Unseren Kundenstock bilden alle Lebenden. So geht das bei uns von klein auf. Die Kinder bekommen väterschlägige Lutschbonbons, zwecks Entladung von Haßgefühlen. Sie wissen ja, Tichy: der Vater – der Ursprung der Verbote und Normen. Man verabreicht Freudian. Und niemand hat einen Ödipuskomplex!« Ohne jede Pille verließ ich ihn. Dies also steckt dahinter! Welch eine Welt! Ob deshalb alle so keuchen? Ich bin von Ungeheuern umringt.

30. 9. 2039. Ich weiß nicht, was ich in Sachen Symington tun soll. Aber zwischen uns kann nicht alles beim alten bleiben. Aileen riet mir:

»Bestell dir seinen Umwurf! Ich spendiere ihn dir, wenn du magst!«

Gemeint war die Heimzahlung, die sich bei »Procrustics« in Auftrag geben läßt: die Szene meines Triumphes über Symington, der sich zu meinen Füßen im Staub wälzt und einbekennt, er selbst, seine Kunst und seine Firma seien ein Haufen Unflat. Doch wie könnte ich zu dieser Methode greifen, um dadurch ebendiese Methode leugnen und ächten zu lassen? Aileen versteht das nicht. Zwischen uns beiden beginnt etwas schiefzugehen. Von der Tante ist sie dicker und kleiner zurückgekommen, nur der Hals ist jetzt wesentlich länger. Nun, vom Körper einmal abgesehen – die Seele ist wichtiger, wie jenes Ungeheuer gesagt hat. Ach, wie falsch habe ich die Welt eingeschätzt, in der ich weilen muß! Und ich bildete mir ein, mich darin zurechtzufinden! Jetzt bemerke ich allerlei, was meiner Aufmerksamkeit früher entging. Zum Beispiel begreife ich schon, was der Nachbar, der sogenannte Stigmatiker, im Hof getan hat. Ich weiß auch, was es bedeutet, wenn sich in einer Gesellschaft der Gesprächspartner für einen Augenblick entschuldigt, sich würdevoll in eine Ecke zurückzieht und dort seine Prise nimmt, wobei er mich zugleich mit den Augen fixiert, um in die Hölle seiner tobenden Phantasien mein vollkommen genaues Bild hinabzuversenken. Und so verhalten sich Personen aus den höchsten Kreisen der Chemokratie! Ich aber merkte nichts von dieser Schmutzerei unter der Tünche erlesenster Höflichkeit!

Zur Stärkung nahm ich einen Löffel Herkulin mit Zucker, und dann zerbrach ich alle Konfektschachteln, zerschlug die Ampullen, Döschen, Fläschchen, Kolben, Pillentiegel und Sauertöpfe, die mir Aileen geschenkt hat. Ich bin zum Ärgsten bereit. Zuweilen verspüre ich solche Tobsucht – ich lechze förmlich nach dem Besuch irgendeines dingfesten Interferenten; der hätte meine Wut auszubaden. Das nüchterne Denken legt mir nahe, daß ich mich genausogut selbst um die Sache kümmern könnte, anstatt mit dem Knüppel zu warten; ich könnte ja beispielsweise einen Aufbläsling kaufen. Aber wenn man schon einen Prügelknaben ersteht – warum nicht gleich ein Prügelmädchen? Und wenn schon ein Prügelmädchen, warum nicht einen Menschler? Und wenn schon einen Menschler, Donnerwetternochmal, warum kann ich dann nicht bei Hopkins, das heißt, bei »Procrustics«, ein gebührendes Strafgericht bestellen, so daß es Feuer, Pech und Schwefel herniederregnet auf diese entmenschte Welt? Nein, das kann ich eben nicht; das ist ja der springende Punkt. Ich muß alles aus eigenem. Alles, alles aus eigenem. Gräßlich.

1. 10. 2039. Heute ist es zum Bruch gekommen. Auf der ausgestreckten Hand bot sie mir zwei Tablettchen dar, ein schwarzes und ein weißes; ich sollte entscheiden, welches sie unverzüglich einzunehmen hätte. Zu einer natürlichen Entscheidung ohne Psychemikalien ist sie also nicht fähig, nicht einmal in so grundsätzlichen Herzensangelegenheiten! Ich wollte nicht auswählen; es kam zum Streit, den sie sich mit Stankal verstärkte. Sie beschuldigte mich fälschlich, ich hätte vor dem Stelldichein Invektil gefressen (so lauten ihre eigenen Worte). Diese Augenblicke waren herzzerreißend für mich. Aber ich bin mir selbst treu geblieben. Ab heute werde ich nur daheim essen. Nur Speisen, die ich selbst zubereite. Nur keine Traumel, Paradisiaca, Luxeternin-Gelees! Ich habe alle Lüster zertrümmert. Ich brauche weder Protestal noch Pfuisalz. Durchs Fenster guckt in mein Zimmer ein großer Vogel mit traurigen Augen, ein sehr komischer Vogel, er hat nämlich Räder. Laut Auskunft des Computers heißt er P.D.Rastel.

2. 10. 2039. Ich gehe kaum aus dem Haus. Ich verschlucke historische und mathematische Werke. Außerdem sehe ich das Dingen an. Doch auch dabei verspüre ich inneren Protest gegen alles, was mich umgibt. So ließ ich mich gestern verleiten und drehte an dem Knopf herum, der die Dingfestigkeit, also das spezifische Gewicht des Bildes, reguliert; ich verlieh allem größtmögliche Dichte und Masse. Unter der Last einiger Zettel mit dem Text der Abendnachrichten brach dem Sprecher der Tisch zusammen, er selbst aber rumpelte durch den Fußboden des Sendestudios. Versteht sich, daß diese Effekte nur bei mir auftraten und nichts nach sich zogen; sie

bekundeten bloß meinen Seelenzustand. Das Dingen ärgert mich überdies durch Witzelei, Ulk, Satire, zeitgemäße Humorigkeit. »Kille-kille Pille mit Pille« – was für abgeschmackte Einfälle! Allein die Titel der Stücke! Zum Beispiel »Mit der Aufbläse auf dem Erotoped! – ein Action-Drama; es begann damit, daß in einem finsteren Bistro ein paar Drückse hockten. Das reichte mir; ich schaltete aus. Doch was half das? Von den Nachbarn tönte es aus einem anderen Kanal herüber (wo aber ist *mein* Kanal? Wo?), und ich vernahm den neuesten Schlager: »In ihren Taschen tragen die Mädchen Abfuhrtablettchen und Jasagtablettchen«. Kann ein Wohn selbst im 21. Jahrhundert nicht ordentlich gegen Lärm isoliert werden? Auch heute wollte ich mit dem Dingfestiger spielen; zuletzt brach ich ihn ab. Ich muß mich aufraffen und etwas beschließen. Was aber? Alles stört mich. Die erstbeste Kleinigkeit. Sogar die Post. Das Büro an der Ecke schreibt, ich solle um den Nobelpreis einreichen, und verspricht mir bevorzugte Abfertigung – als einem Ankömmling aus furchtbarer Vorzeit. Wirklich wahr! Jetzt platze ich bald! Ferner ein zwielichtiges Drucksächelchen; es bietet Geheimpillen an, die normal nicht im Handel seien. Schrecklich auszudenken, was die wohl enthalten mögen! Weiters eine Warnung vor Schwarzträumern, unbefugten Verkäufern gewisser zum Vertrieb nicht zugelassener Traumel. Und zugleich ein Aufruf, nicht spontan und wildwüchsig zu träumen, da dies psychische Energie vergeude. Wieviel Sorge um den Staatsbürger! Ich bestellte ein Traumel aus dem Hundertjährigen Krieg und erwachte am Morgen ganz traumenblau geprügelt.

3. 10. 2039. Weiterhin führe ich ein einsames Leben. Heute blätterte ich in einer Nummer der soeben abonnierten Vierteljahrsschrift »Heimische Zukunde« und stieß zu meiner Verblüffung auf den mir wohlbekannten Namen Professor Trottelreiner. Gleich befielen mich denn auch wieder die ärgsten Zweifel: gehört etwa alles, was ich erlebe, zu ein und

derselben Kette von Gesichten und Vorspiegelungen? Im Prinzip wäre das möglich. »Psychomatics« preist ja neuerdings Stratile an, Schichtpillen, die vielstufige Blendwerke auslösen. Gesetzt, jemand möchte Napoleon bei Marengo sein, und nach der Schlacht freut ihn die Rückkehr ins Wachen nicht; also serviert gleich dort auf dem Schlachtfeld Marschall Ney oder einer von der alten Garde ein silbernes Tablett mit der nächsten Pille; die ist zwar bloß halluziniert, aber das schadet nichts: nach dem Einnehmen öffnen sich die Pforten der nächstfolgenden Halluzination, und so weiter, solang es beliebt. Da ich gewohnt bin, gordische Knoten zu zerhauen, verspeiste ich das Telefonverzeichnis, erfuhr so die Nummer des Professors und rief ihn an. Wirklich – er selbst! Ich treffe ihn beim Abendbrot.

4. 10. 2039. Drei Uhr morgens. Ich schreibe dies todmatt und mit gramgebeugter Seele. Der Professor verspätete sich ein wenig, so daß ich im Restaurant eine Weile auf ihn wartete. Zu Fuß kam er an; ich erkannte ihn von weitem, obwohl er jetzt weit jünger ist als im vorigen Jahrhundert: auch Brille und Regenschirm führt er nicht mehr mit sich. Bei meinem Anblick schien er bewegt.

»Wie? Sie gehen zu Fuß?« – fragte ich. »Etwa gar eine Störrung?« (d. h. Störrischwerden eines Autos; derlei kommt vor.)

»Nein« – entgegnete er. »Ich bewege mich lieber per pedes apostolorum.«

Doch dabei lächelte er ganz eigentümlich. Als die Kelputer abtraten, begann ich ihn nach seinem täglichen Leben auszufragen, aber sofort entschlüpfte mir auch ein Wörtchen über den Halluzinationsverdacht.

»Hören Sie auf, Tichy, wieso denn Halluzination?« – protestierte der Professor. »Ebensogut könnte ich Sie verdächtigen, meine Fata Morgana zu sein! Sie haben sich einfrieren lassen? Ich auch. Sie sind aufgetaut worden? So auch ich. Mich hat man überdies verjüngt, nun ja, Rejuvenil und Entkalker . . . Sie, mein Freund, haben das nicht nötig, aber ich

. . . Ohne diese Generalüberholung könnte ich heute nicht als Zukundler tätig sein.«

»Als Futurologe?«

»Diese Bezeichnung bedeutet jetzt etwas anderes. Der Futurologe erstellt Fupros – Zukunftsprognosen –, während ich mich mit der Theorie befasse. Das ist etwas völlig Neues; zu unserer Zeit war das noch nicht bekannt. Man könnte sagen: sprachseitige Zukunftsvorhersage. Linguistische Prognostik!«

»Nie gehört. Was ist das?«

Ich fragte, ehrlich gesagt, eher aus Artigkeit als aus Neugier, aber das bemerkte er nicht. Die Kelputer brachten uns die Vorspeisen. Zur Suppe nahmen wir 1997er Weißwein; das ist ein guter Jahrgang Chablis, den ich schätze; deshalb hatte ich ihn ausgewählt.

»Die linguistisch orientierte Futurologie erforscht die Zukunft an Hand der Umformungsmöglichkeiten der Sprache« – erläuterte Trottelreiner.

»Ich verstehe nicht . . .«

»Der Mensch vermag nur das zu bemeistern, was er verstehen kann; verstehen kann er hinwiederum nur, was sich aussagen läßt. Das Unsagbare ist unfaßbar. Wenn wir die weiteren Entwicklungsstadien der Sprache erforschen, dann finden wir heraus, welche Umwälzungen in der Lebensweise, welche Entdeckungen und Wandlungen diese Sprache künftig wird abspiegeln können.«

»Sehr merkwürdig. Wie sieht das in der Praxis aus?«

»Die Forschungen betreiben wir mit Hilfe der größten Computer, denn der Mensch kann nicht eigenhändig sämtliche Varianten ausprobieren. Es handelt sich hauptsächlich um die syntagmatisch-paradigmatische, aber gequantete Variativität der Sprache . . .«

»Professor!«

»Verzeihen Sie. Köstlich, dieser Chablis. Am besten werden Ihnen ein paar Beispiele die Sache erläutern. Bitte, nennen Sie mir irgendein Wort.«

»Ich.«
»Ich, ja? Hm. Ich. Gut. Sie verstehen, ich muß jetzt gleichsam die Stelle des Computers vertreten, das wird also sehr simpel ausfallen. Nun denn – ich. Ichsicht. Dich. Dichsicht. Uns. Unsricht. Sehen Sie?«
»Gar nichts sehe ich.«
»Wie das? Es handelt sich um das Verschmelzen von Ichsicht und Dichsicht, das heißt, um den Verbund zweier Exemplare von Bewußtsein. Dies fürs erste. Zweitens – Unsricht. Sehr interessant. Das ist kollektives Bewußtsein. Na, zum Beispiel bei starker Persönlichkeitsspaltung. Bitte ein anderes Wort.«
»Bein.«
»Gut. Was geht mit dem Bein? Beinler. Beinmal, allenfalls Beinmalbeins. Beinigel. Beinzelgänger. Beinzeln und sich beinigen. Beingängig. Verbeinert. Bein dich! Beinste? Beinerlei! Beingeist. Bitte sehr, da haben wir etwas Aussichtsreiches. Beingeist. Beingeisterei.«
»Was heißt denn das alles? Diese Wörter haben doch gar keinen Sinn?«
»Noch nicht. Aber sie werden einen haben. Das heißt, sie können unter Umständen Sinn gewinnen, sofern sich Beingeisterei und Beintum durchsetzen. Das Wort ›Roboter‹ hat im 15. Jahrhundert nichts bedeutet, aber wenn die Leute damals die linguistisch orientierte Futurologie gekannt hätten, dann hätten sie beim Roboten die Automaten vorhersehen können.«
»Was heißt also Beingeist?«
»Sehen Sie, just in diesem Fall kann ich das genau angeben, aber nur, weil das nichts Vorhergesagtes ist, sondern etwas bereits Vorhandenes. Beingeisterei ist die neueste Denkrichtung mit einem brandneuen Konzept menschlicher Selbstfortentwicklung – zum sogenannten Homo Sapiens Monopedes.«
»Zum Beinbeinigen?«
»Gewiß doch! Mit Rücksicht auf die Entbehrlichkeit des Gehens und auf den bevorstehenden Platzmangel.«

»Das ist doch vertrottelt!«

»Finde ich auch. Nichtsdestoweniger gehören zu den Beintümlern solche Leute wie Foeshbeene und Professor Hatzelklatzer. Das haben Sie nicht gewußt, Tichy, als Sie mir den Terminus ›Bein‹ angaben. Oder?«

»Nein. Und was heißen die übrigen Wortbasteleien?«

»Gerade dies ist einstweilen noch nicht bekannt. Wenn das Beintum siegt, dann entstehen alsbald Objekte namens Beinigel, Beinmal und so weiter. Wir suchen keine Wahrsagerei, sondern die Übersicht über den Bereich der reinen Möglichkeiten. Nennen Sie ein anderes Wort.«

»Interferent.«

»Schön. Inter und fero. Fero, ferre, tuli, latus. Latein. Also müssen wir eine lateinische Fortsetzung suchen. Interflorenz. Flos, floris. Bitte sehr! Ein Fräulein bekommt ein Kind von einem Interferenten, der sie entjungfert hat.«

»Entjungfert? Wie kommen Sie darauf?«

»Interflorenz. Flos, floris, die Blüte. Defloration. Man wird wohl ›Dingwöchnerin‹ sagen, oder ›Dingbetterin‹, oder kurz ›Bedingte‹. Ich versichere Ihnen, wir besitzen schon reichstes Material. Etwa die Prostituante, nach dem Muster der Konstituanten – die eröffnet ein ganzes Universum neuer Sittenverhältnisse!«

»Sie schwärmen ja förmlich für diese neue Wissenschaft. Vielleicht versuchen Sie noch ein Wort? Mist.«

»Warum nicht? Ihre Skepsis tut nichts zur Sache. Bitte sehr. Mist. Hm. Misthaufen. Stallmist. Viel Mist – Allmist. Allmist! Sehr interessant! Herr Tichy, Sie liefern prächtige Wörter! Allmist! Na, was sagen Sie jetzt?«

»Was soll daran Besonderes sein? Das Wort besagt ja gar nichts.«

»Erstens sagt man jetzt: beschmackt. ›Besagt‹ – das ist schon anachronistisch. Mir fällt auf, daß Sie ungern neue Wörter gebrauchen. Das ist nicht gut. Davon reden wir später. Na und zweitens: ›Allmist‹, das besagt *jetzt* noch nichts, aber der künftige Sinn läßt sich erahnen! Sehen Sie, es geht da um eine neue psychozoische Theorie. Nicht zu verachten! Eine, die behauptet, die Sterne seien künstlicher Herkunft.«

»Woher denn diese Idee?«

»Aus dem Wort ›Allmist‹. Es entwirft, das heißt, es suggeriert folgendes Bild: im Laufe von Äonen füllte sich der Kosmos mit Mist, mit Zivilisationsabfällen, womit nichts anzufangen war. Sie behinderten die astronomische Forschung und die Raumfahrt. Deshalb errichtete man riesige Feuerungsanlagen, nicht wahr, um diesen Müll zu verbrennen. Die müssen große Masse haben, so daß sie von selbst den Mist anziehen. Der leere Weltraum wird allmählich gereinigt. Und so, mein Herr, ergeben sich die Sterne, eben diese Feuerstellen, und die Dunkelwolken – nämlich der noch nicht beseitigte Mist.«

»Wie? Sie meinen das ernst? Sie halten das für möglich? Der Kosmos – ein einziges Brandopfer von Mist? Aber Herr Professor!«

»Es handelt sich nicht um meinen Glauben oder Unglauben, Tichy. Wir haben ganz einfach mit Hilfe der linguistisch orientierten Futurologie eine neue Spielart der Kosmogonie geschaffen, eine reine Möglichkeit für spätere Geschlechter. Wir wissen nicht, ob das irgendwer ernst nehmen wird; Tatsache bleibt, daß sich eine solche Hypothese artikulieren läßt. Bedenken Sie: wenn in den zwanziger Jahren linguistisch extrapoliert worden wäre, dann hätten sich schon damals aufgrund der Bomben die *Bemben* vorhersagen lassen. Die sind Ihnen wohl erinnerlich, Tichy! Die Sprache selbst birgt ungeheure und doch nicht grenzenlose Möglichkeiten. Modernität – wenn Sie das mit dem Zeitwort ›modern, moderte, gemodert‹ zusammenstellen, dann verstehen Sie wohl die Schwarzseherei vieler Futurologen!«

Wir kamen bald auf Dinge zu sprechen, die mich stärker bewegten. Ich gestand dem Professor alle meine Ängste und auch meinen Widerwillen gegen die neue Zivilisation. Trottelreiner rümpfte die Nase, aber er hörte mich weiter an und begann mich zu bemitleiden, der gute Kerl. Ich sah, daß er sogar seine Barmherztropfen aus der Westentasche holen wollte; aber mitten in der Handbewegung hielt er inne, weil ich so sehr gegen die Psychemikalien gewettert hatte. Zuerst setzte er jedoch eine strenge Miene auf.

»Tichy, um Sie steht es nicht gut. Ihre Kritik dringt gar nicht bis zum Kern der Sache. Den kennen Sie nicht. Und Sie vermuten ihn auch nicht. ›Procrustics‹ und die ganze übrige Psivilisation sind läppisch dagegen.«

Ich traute meinen Ohren nicht.

»Ja, aber . . . Herr Professor« – stotterte ich. »Was wollen Sie damit sagen? Was kann es Ärgeres geben?«

Über den Tisch beugte er sich zu mir.

»Tichy, ich tue das Ihnen zuliebe. Ich verletze das Berufsgeheimnis. Von allem, worüber Sie sich beklagt haben, weiß jedes Kind. Wie denn anders? Die Entwicklung mußte diese Richtung nehmen, seit auf Narkotika und Urhalluzinogene die stark selektiv wirkenden sogenannten Psychofokussierer gefolgt waren. Doch der eigentliche Umschwung fand erst vor fünfundzwanzig Jahren statt, als die Maskone synthetisiert wurden, das heißt, die Hapunkter, die punktuellen Halluzinogene. Narkotika trennen den Menschen nicht von der Welt; sie verändern nur sein Verhältnis zu ihr. Halluzinogene verwirren und verschleiern die ganze Welt. Sie, mein Bester, konnten sich davon ja selbst überzeugen. Die Maskone aber – die fälschen die Welt!«

»Maskone . . . Maskone . . .« – sprach ich nach. »Das Wort kenne ich doch. Aha! Massenkonzentrationen unter der Mondkruste, solche Mineralverdichtungen? Was haben die damit zu tun?«

»Nichts. Weil nämlich das Wort jetzt etwas anderes besagt. Will sagen, beschmackt. Es kommt von ›Maske‹. Bei Eintritt ins Gehirn vermögen entsprechend synthetisierte Maskone jedes beliebige Objekt der Außenwelt so geschickt durch Scheinbilder zu verhüllen, daß die chemaskierte Person nicht weiß, was an dem Wahrgenommenen echt und was vorgetäuscht ist. Freund, wenn Sie einen Blick auf die Welt würfen, die uns *wirklich* umgibt, nicht auf diese durch Chemaskierung geschminkte – Sie wären entgeistert!«

»Moment mal! Was für eine Welt? Wo gibt es die? Wo ist sie zu sehen?«

»Sogar hier!« – flüsterte er mir ins Ohr, nach allen Seiten ausspähend. Er setzte sich neben mich, reichte mir unter dem Tisch ein Glasfläschchen mit fest eingepaßtem Korken und hauchte geheimnistuerisch:

»Das ist Antich, aus der Gruppe der Wachpulver, ein starkes Gegenmittel gegen Psychemie. Ein Nitrodazylderivat des Pejotropins. Nicht erst die Anwendung – das bloße Mittragen gilt als Kapitalverbrechen. Bitte unterm Tisch entkorken und einmal durch die Nase einatmen. Aber nur einmal! So, als schnupperten Sie an Ammoniak. Na, so wie Riechsalze. Dann aber . . . Um Himmels willen, beherrsch dich, halt an dich, denk daran!«

Mit bebenden Händen entkorkte ich das Fläschchen. Der Professor nahm es mir weg, als ich kaum den stechenden Mandeldunst eingesogen hatte. In die Augen schossen mir reichliche Tränen. Als ich sie mit der Fingerspitze weggestreift und die Lider abgewischt hatte, da verschlug es mir den Atem: der herrliche Saal mit Majolika-Wänden, Teppichen, Palmen, prunkvoll schimmernden Tischen und einem im Hintergrund postierten Kammerorchester, das uns zum Bratengang aufgespielt hatte – das alles war verschwunden. Wir saßen an einem nackten Holztisch in einem Betonbunker; unsere Füße versanken in einer arg zerschlissenen Strohmatte. Musik hörte ich weiterhin. Aber wie ich nun merkte, entströmte sie einem Lautsprecher, der an einem rostigen Draht hing. Die kristallschillernden Kandelaber hatten verstaubten kahlen Glühbirnen Platz gemacht. Doch die gräßlichste Wandlung war auf dem Tisch vor sich gegangen. Das schneeige Tafeltuch war fort; statt der Silberschüssel, worin auf knusprigem Brot das Rebhuhn geduftet hatte, stand vor mir ein Teller aus Steingut; darauf lag ein unappetitlicher graubrauner Breiklumpen; er blieb an der Zinngabel kleben, deren edler Silberglanz gleichfalls erloschen war. Zu Eis erstarrt, blickte ich auf die Scheußlichkeit, die ich mir eben noch hatte schmecken lassen, entzückt von dem Knistern der gebräunten Geflügelhaut und von den kontrapunktisch dazwischenklingenden derberen Knirschtönen der Brotscheibe, die an der Oberseite feinst getrocknet und unten von der Sauce durchtränkt war. Was ich für die Wedel der Palme in einem nahen Kübel gehalten hatte, das waren in Wirklichkeit die Bänder der Unterhose eines Individuums, das zusammen mit drei anderen dicht über uns hockte, nicht auf einem Treppenabsatz, eher auf einem Wandbrett – so schmal und eng war das Gestell. Überall herrschte nämlich unerhörtes Gedränge. Die Augen wollten mir schier aus den Höhlen treten, als das entsetzliche Bild erzitterte und sich wieder zu verwischen begann, wie vom Zauberstab berührt. Die Hosenbändchen neben meinem Gesicht ergrünten und wurden wieder zu blättrigen Palmzweigen; der Spülichteimer, der kaum drei Schritte entfernt zum Himmel stank, erglänzte dunkel und wurde zum reliefgeschmückten Palmentopf; die schmutzige Tischplatte wurde weiß wie von erstem Schnee. Kristallene Gläschen blinkten auf; der pappige Brei nahm edle Bratenfarbe an; ihm wuchsen Flügelchen und Keulen, wo sie hingehörten; das Zinnbesteck erstrahlte in echtem Silber; und ringsum schwirrten Kellnerfräcke. Ich blickte auf meine Füße; das Stroh verwandelte sich in Perser. Die Welt des Luxus hatte mich wieder; schwer keuchend starrte ich auf die üppige Rebhuhnbrust, unfähig zu vergessen, was sich darunter tarnte.

»Nun erst beginnen Sie die Wirklichkeit zu erfassen« – flüsterte Trottelreiner vertraulich. Er sah mir ins Gesicht, als befürchtete er eine allzu heftige Reaktion meinerseits. »Und bedenken Sie, daß wir in einem Lokal der Extraklasse weilen! Wenn ich nicht im voraus Ihre etwaige Einweihung in Betracht gezogen hätte, dann wären wir in ein Restaurant gegangen, dessen Anblick Ihnen vielleicht den Verstand verwirren könnte.«

»Wie? Also ... Es gibt noch ärgere?«
»Ja.«
»Unmöglich.«
»Seien Sie versichert. Hier haben wir wenigstens echte Tische, Stühle, Teller und Bestecke. Anderswo liegt man auf vielstöckigen Pritschen und frißt mit den Fingern – aus Eimern, die ein Förderband vorüberschiebt. Auch das Futter unter der Rebhuhnmaske ist dort lang nicht so nahrhaft.«
»Was ist das?«
»Nichts Giftiges, Tichy. Bloß ein Extrakt aus Gras und Futterrüben, in gechlortem Wasser aufgeweicht und zusammen mit Fischmehl vermahlen. Meist fügt man Knochenleim und Vitamine hinzu und befettet den Teig mit synthetischem Schmieröl, damit er im Schlund nicht steckenbleibt. Sie haben doch wohl den Geruch bemerkt?«
»Hab ich. Und ob!!!«
»Na eben.«
»Professor, bei Gottes Barmherzigkeit – was ist das? Sagen Sie es mir! Ich beschwöre Sie. Absprache? Verrat? Ein Plan, um die ganze Menschheit auszurotten? Eine teuflische Verschwörung?«
»Warum nicht gar, Tichy. Werden Sie nicht dämonisch. Das ist einfach eine Welt, worin weit über zwanzig Milliarden Menschen leben. Mein Lieber, haben Sie den heutigen ›Herald‹ gelesen? Die pakistanische Regierung behauptet, in der diesjährigen Hungerkatastrophe seien nur 970 000 Menschen umgekommen; die Opposition spricht von sechs Millionen. Wo fänden sich in einer solchen Welt Chablis, Rebhühner, Frikassee in Bearnaisersauce? Die letzten Rebhühner sind vor einem Vierteljahrhundert ausgestorben. Diese Welt ist ein Leichnam, freilich in bestem Zustand, denn sie wird ja fortwährend mit Geschick mumifiziert. Anders gesagt – wir haben diesen Todesfall maskieren gelernt.«
»Warten Sie! Ich kann die Gedanken nicht zusammenhalten ... Das heißt also, daß ...«
»Daß Ihnen niemand übelwill. Ganz im Gegenteil. Aus

Mitleid, aus Gründen höherer Menschenliebe wird der chemische Humbug angewandt, wird die Wirklichkeit getarnt und mit fremden Federn und Farben aufgeputzt . . .«

»Und dieser Betrug ist überall, Herr Professor?«

»Ja.«

»Aber ich esse nicht außer Haus. Ich koche mir selbst. Wie also? Auf welchem Wege . . .?«

»Wie Sie die Maskone aufnehmen? Das fragen Sie noch? Sie? Die werden ständig in der Luft zerstäubt. Mensch, erinnern Sie sich nicht an die Aerosole von Costricana? Das waren die ersten zaghaften Versuche. Etwa wie die Montgolfière als Vorstufe zur Rakete.«

»Und alle wissen das? Und können damit leben?«

»Durchaus nicht. Niemand weiß davon.«

»Keine Gerüchte, kein Klatsch?«

»Klatsch ist überall. Bedenken Sie jedoch: es gibt ja Amnestan. Von manchen Sachen weiß jedermann, von anderen weiß kein Mensch. Die Pharmakokratie hat einen öffentlichen und einen geheimen Teil. Der erste stützt sich auf den letzteren.«

»Das kann nicht sein.«

»Nicht? Warum denn nicht?«

»Die Strohmatten muß irgendwer instand halten, und irgendwer muß das Steingut verfertigen, wovon wir in Wirklichkeit essen, und diesen Brei, der sich als Braten verkappt. Und überhaupt alles!«

»Gewiß doch. Sie haben recht. Alles muß erzeugt und erhalten werden. Na und?«

»Die das tun, die sehen und wissen alles.«

»Nicht die Spur, Tichy. Sie denken immerzu in urtümlichen Kategorien. Die Leute glauben in eine glaspalastartige Fabrik zu gehen. Beim Eingang bekommen sie Antihall und erkennen die nackten Betonmauern und die Arbeitsplätze.«

»Und da wollen die noch arbeiten?«

»Mit dem größten Eifer, da sie auch eine Prise Sakrifiz bekommen haben. Arbeit ist demnach Aufopferung. Etwas

Rühmliches. Zum Feierabend genügt ein Schluck Amnestan oder Mnemolysol, und jeder vergißt, was er gesehen hat.«

»Bis jetzt fürchtete ich, in einer Halluzination zu leben. Nun merke ich, wie dumm ich war. Gott, wie gern ginge ich zurück! Was gäbe ich nicht dafür!«

»Zurück? Wohin?«

»In den Kanal unterm Hilton-Hotel.«

»Unsinn! Sie verhalten sich unklug, um nicht zu sagen, dumm. Sie sollten dasselbe tun wie alle, essen und trinken wie alle; dann bekämen Sie die nötigen Mengen Optimister und Seraphin und wären in fabelhafter Laune.«

»Auch Sie als Advokat des Teufels?«

»Seien Sie vernünftig. Ist es teuflisch, wenn der Arzt notfalls den Kranken belügt? Wenn wir nun mal so leben müssen, so wohnen und essen, dann soll sich das Ganze doch lieber in hübscher Verpackung darbieten. Die Maskone wirken unfehlbar, außer in einem einzigen Fall; was soll daran Übles sein?«

»Ich fühle mich außerstande, jetzt mit Ihnen diese Frage zu diskutieren« – sagte ich etwas gefaßter. »Bitte beantworten Sie mir nur zwei Fragen, aus Verbundenheit mit den alten Zeiten: in welchem einzigen Fall wirken die Maskone nicht? Und wie ist es zur allgemeinen Abrüstung gekommen? Ist auch sie nur vorgespiegelt?«

»Nein. Zum Glück ist sie ganz echt. Aber um Ihnen dies zu erklären, müßte ich einen ganzen Vortrag halten, und für mich wird es schon Zeit . . .«

Wir verabredeten uns für den folgenden Tag. Beim Abschied fragte ich neuerlich nach dem Versagen von Maskonen.

»Gehen Sie bitte auf den Rummelplatz« – sagte der Professor und erhob sich. »Wenn Sie unliebsame Enthüllungen wünschen, besteigen Sie das größte Karussell, und sobald es auf vollen Touren läuft, schneiden Sie mit dem Taschenmesser ein Loch in die Hülle der Kabine. Die Hülle wird just deshalb benötigt, weil sich während des Herumwirbelns die

Phantasmen verschieben, womit das Maskon die Wirklichkeit verdunkelt. So, als spreizte die Fliehkraft die Scheuklappen auseinander. Mein Lieber, Sie werden sehen, was dann hinter den holden Trugbildern hervorlugt . . .«

Gebrochen schreibe ich dies um drei Uhr morgens. Was kann ich hinzufügen? Ich erwäge ernstlich, vor der Zivilisation zu fliehen, mich irgendwo in der Einöde zu verkriechen. Selbst die Galaxis lockt mich nicht mehr; Reisen hat keinen Reiz, wenn du nirgendshin heimkehren kannst.

5. 10. 2039. Den freien Vormittag verbrachte ich in der Stadt. Mit kaum beherrschtem Entsetzen besah ich die allgegenwärtigen Anzeichen von Lebensstandard und Luxus. Eine Kunstgalerie in Manhattan ermunterte zum Kauf spottbilliger Originalgemälde von Rembrandt und Matisse. Daneben werden herrliche Möbel aus der Epoche der französischen Ludwige angeboten, Marmorkamine, Throne, Spiegel, sarazenische Rüstungen. Unmengen von Auktionen. Häuser werden verkauft wie Holzbirnen. Und ich hatte in einem Paradies zu leben gemeint, wo jeder fröhlich »palastern« könne! Das an der Fünften Straße gelegene Anmeldungsbüro für selbsternannte Nobelpreisanwärter hat mir gleichfalls seine wahre Natur offenbart: jeder kann den Nobelpreis haben und sich die wertvollsten Kunstwerke daheim an die Wand hängen, wenn eins wie das andere lediglich in einer Prise eines hirnkitzelnden Pülverchens besteht. Die größte Tücke ist die, daß ein *Teil* des gemeinschaftlichen Blendwerks offen zutage liegt; somit läßt sich naiv eine Trennlinie zwischen Gaukelei und Wirklichkeit ziehen, und da ja auf nichts mehr spontan reagiert wird, weil alle chemisch lernen, lieben, meutern und vergessen, hat der Unterschied zwischen manipulierten und ursprünglichen Gefühlen zu bestehen aufgehört. Die Fäuste in den Taschen geballt, ging ich durch die Straßen. Oh, um Wut zu verspüren, brauchte ich weder Furiasol noch Amokgeist! Mein beflügelter Spürsinn stieß auf alle hohl klingenden Stellen dieses

ungeheuren Lügengebäudes, dieser Kulisse, die über die Horizonte hinauswuchert. Den Kindern verabreicht man väterschlägigen Sirup und später zwecks Persönlichkeitsentwicklung Revoltal und Protestolid – und dann, um den entfachten Feuergeist zu bezähmen, Sordin und Integrin. Polizei ist nicht vorhanden, wozu auch? Es gibt ja Knaster. Verbrecherische Gelüste stillt »Procrustics Inc.«; nur gut, daß ich die Theobauchläden bis jetzt gemieden habe, denn auch die führen nichts als ein Sortiment glaubentreibender und gnadenspendender Präparate: Bußpillen, Peccatol, Absolvian . . . Sogar heilig kannst du dort werden: mittels Sanktokanonisol. Warum auch nicht Allahmuslimin, Doppelbuddhazen, Kosmasyl mit Nirwan, Theokontaktol? Endzeit-Zäpfchen und Nekrinsalbe stellen dich in die vorderste Reihe im Tal Josaphat; den Rest besorgt mit Zucker verschlucktes Resurrectol. Himmolherrgottnochmol! Paradisiaca für Frömmler, Belzeban und Hellur für Masochisten . . . Mit Mühe verkniff ich mir den Sturm auf ein am Wege liegendes Heiliges Offizinium, wo das Volk andächtig niederkniete und Unmengen von Genuflektol in sich hineinschnupfte. Ich mußte mich zurückhalten, um nicht mit Amnestan behandelt zu werden. Alles, nur nicht das! Ich fuhr zum Rummelplatz; in der Tasche drehten die verschwitzten Finger das Klappmesser. Das Experiment mißlang, da sich die Hülle der Kabine als äußerst fest erwies. Offenbar aus Hartstahl.

Die Mietzimmer, die Trottelreiner bewohnte, lagen an der Fünften Straße. Er war nicht daheim, als ich pünktlich dort ankam. Doch er hatte sich für seine etwaige Verspätung im voraus entschuldigt und mir den Funkschluß zum Funktor gegeben. Ich trat also ein und setzte mich an den Schreibtisch des Professors. Da türmten sich Fachzeitschriften und beschriebenes Papier. Aus Langeweile oder eher, um in den geistigen Eingeweiden die brennende Unruhe zu bezähmen, guckte ich in Trottelreiners Notizen. »Allmist«, »Dingwöchnerin«, »Dingselbalg«, »Andryo«. Ah, er hatte also das Sitzfleisch dazu, die Ausdrücke dieser seiner schrulligen Futurologie niederzuschreiben . . . »Umfruchterei«, »Eintropf«, »Austropf«. »Meistbürtig« – nun ja, vermutlich im Zuge der Bevölkerungsexplosion. Jede Sekunde kommen achtzigtausend Kinder zur Welt. Oder achthunderttausend? Auch schon egal. »Denkler«, »Denkster«, »Denksel«, »Dachtel«, »Hauptgedanke bzw. Deichseldenksel«, »gedeichselt und gedachselt«. Und damit gab er sich ab! »Professor, du hier – und dort geht die Welt zugrunde!« – wollte ich rufen. Plötzlich blinkte etwas unter den Papieren hervor. Antihall. Jenes Fläschchen. Den Bruchteil einer Sekunde lang zögerte ich; dann entschloß ich mich, beroch es vorsichtig und blickte das Zimmer an.

Seltsam: es hatte sich kaum verändert. Die Bibliothekschränke, die Regale mit den Informationspillenordnern, alles blieb, wie es gewesen war. Nur der riesige holländische Kachelofen in der Ecke, der mit dem satten Glanz seiner Reliefkacheln das Zimmer verschönt hatte, war in ein Kanonenöfchen verwandelt, dessen durchgebrannte Blechröhre in einem Mauerloch stak. Ringsherum war der Fußboden schwarz angesengt. Hastig stellte ich die Flasche weg, wie auf frischer Tat ertappt, denn im Vorzimmer funkte es, und Trottelreiner trat ein.

Ich erzählte ihm vom Rummelplatz. Der Professor wunderte sich, bat mich, das Taschenmesser vorzuzeigen, nickte, griff zum Fläschchen, schnupperte daran und gab es an mich weiter. Statt des Messers erblickte ich ein morsches Aststückchen. Ich schaute wieder dem Professor ins Gesicht. Irgendwie bekümmert, nicht so selbstsicher wie am Vortag, legte er eine Aktenmappe voll Kongreßlutschbonbons auf den Schreibtisch und seufzte.

»Sie müssen verstehen, Tichy: das Umsichgreifen der Maskone wird bislang nicht durch besondere Bosheit verursacht . . .«

»Umsichgreifen? Was heißt das nun wiederum?«

»Vieles, was vorigen Monat oder voriges Jahr noch real war, muß durch Vorspiegelungen ersetzt werden, weil die echten Stücke bereits unerreichbar sind« – erläuterte der Professor, von einem anderen Gedanken bedrückt, der ihm sichtlich keine Ruhe ließ.

»Vor einem Vierteljahr bin ich auf diesem Karussell gefahren. Aber ob es noch dort ist? Ich möchte nicht Gift darauf nehmen. Vielleicht wird Ihnen beim Kauf einer Eintrittskarte eine Portion Karusselldunst oder Lunaparkin aus dem Zerstäuber verpaßt. Das wäre im übrigen sinnvoll, weil wesentlich billiger. Ja, Tichy, das reale Besitztum der Menschheit schrumpft mit beängstigender Beschleunigung dahin. Bevor ich hier einzog, war ich im neuen Hilton. Aber ich gestehe: dort konnte ich nicht leben. Denn als ich einmal unbedacht den Ausnüchterer benutzte, fand ich mich in einem Koben von der Größe einer besseren Schublade; meine Nase tauchte in die Freßrinne; zwischen die Rippen bohrte sich der Wasserhahn, und mit den Füßen berührte ich das Kopfende der Liegestatt im nächsten Schubfach, will sagen, Appartement. Denn ich hatte ein Appartement im achten Stock um 90 Dollar pro Tag. Der Platz, ganz einfach der Platz geht uns aus. Derzeit wird mit sogenannten Despacializern oder Psyschwündlern experimentiert, aber das geht schleppend voran. Denn wenn auf der Straße oder auf einem Platz die gleichzeitige Anwesenheit einer riesigen Menschenmenge solchermaßen maskiert wird, daß der einzelne nur die entfernten Individuen sieht, dann beginnt er mit den getarnten Leuten zusammenzustoßen, die er nicht wahrnimmt. Dieses Hemmnis hat sich bislang nicht überwinden lassen.«

»Professor, ich habe in Ihre Notizen geguckt. Bitte verzeihen Sie mir, aber was ist das?« – ich deutete auf einen Zettel, der die Wort »Multischizol« und »Wimmelin-Mengol« aufwies.

»Tja, das . . . Wissen Sie, es besteht der Plan, daß heißt, der Vorschlag der Hinternierung, benannt nach dem Namen des Autors, nicht wahr, Egobert Hintern. Der zunehmende Mangel an Außenraum soll durch halluzinierten Innenraum der Seele ausgeglichen werden, da die Größenverhältnisse dieser letzteren keinerlei physikalischen Beschränkungen unterliegen. Wie Sie sicherlich wissen, Tichy, kann man durch die Zooformine zeitweilig zur Schildkröte werden, das heißt, sich als solche fühlen, oder als Ameise, als Frauenkäferchen, ja, mit Hilfe von Florsezenzbotinid sogar als Jasmin, versteht sich, nur subjektiv. Man kann auch Persönlichkeitsspaltung erleben: zwei, drei, vier Teile ... Bei Erreichen zweistelliger Spaltzahlen entsteht der Wimmeleffekt. Das ist dann nicht mehr Ichsicht, sondern Unsricht. Eine Vielheit von Ichs in einem einzigen Körper. Es gibt auch Nachicher, denn das gesteigert eindringliche Innenleben soll die Außeneindrücke überwiegen. So ist die Welt, so sind die Zeiten, Tichy! Omnis est pilula! Das Verzeichnis der offiziellen Mittel ist jetzt das Buch des Lebens, die Enzyklopädie allen Daseins, Alpha und Omega. Kein Umsturz ist in Sicht, denn wir haben ja schon Putschin, Oppositional in Glyzerinzäpfchen sowie Extremister, und Ihr lieber Doktor Hopkins wirbt für Sodomastol und Gomorral, womit man eigenhändig mittels himmlischen Feuers jede ersehnte Menge von Städten verbrennen kann. Auch zum Herrgott kann man sich ernennen lassen. Das kostet 75 Cents.«

»Die neueste Kunstgattung ist das Jucken« – sagte ich. »Ich hörte, will sagen, fühlte das Scherzo von Kizzikizzi, aber ich kann nicht behaupten, daß mir dies in ästhetischer Beziehung irgend etwas gegeben hätte. Ich lachte an den ernstesten Stellen.«

»Ja, das ist nichts für uns Tautröpfe aus dem verflossenen Jahrhundert, für uns Schiffbrüchige in der Zeit« – bestätigte Trottelreiner wehmütig. Dann schien er sich einen Ruck zu geben, räusperte sich, schaute mir in die Augen und sagte:

»Tichy, soeben beginnt ein Futurologischer Kongreß. Ich meine Debatten über die menschliche Zukunde. Das ist die 76. Weltkonferenz. Ich war heute bei der ersten organisatorischen Einleitungssitzung und möchte Ihnen meine Eindrücke anvertrauen ...«

»Merkwürdig« – sagte ich. »Ziemlich eifrig lese ich die

Presse, aber ich habe nirgends die kleinste Notiz über diesen Kongreß gesehen.«

»Weil es ein geheimer Kongreß ist. Sie verstehen doch: unter anderem müssen die Probleme des Maskierens zur Sprache kommen.«

»Und? Es sieht schlecht damit aus?«

»Schauderhaft« – sagte der Professor nachdrücklich.

»Könnte nicht schlimmer sein!«

»Gestern haben Sie andere Töne angeschlagen« – versetzte ich.

»Das stimmt. Aber bedenken Sie bitte meine Lage: ich gewinne erst Einblick in den aktuellen Stand der Forschungen. Was ich heute gehört habe, meinerseel . . . Sie können sich im übrigen selbst überzeugen.«

Er nahm aus der Mappe ein großes Bündel verschiedenfarbig bebänderter Stielbonbons mit Zwischenberichten und reichte es mir über den Schreibtisch.

»Bevor Sie das durchstudieren, sind ein paar klärende Worte notwendig. Pharmakokratie ist Psychemokratie, die sich auf Schmierarchie stützt. So lautet der Wahlspruch unserer neuen Ära. Um die Sache noch knapper zu fassen: zur Herrschaft der Halluzinogene gehört Korruption. Just diesem Umstand verdanken wir übrigens die allgemeine Abrüstung.«

»Endlich erfahre ich, wie das zugegangen ist!« – rief ich aus.

»Ganz einfach. Bestochen wird entweder, um minderwertige Ware abzusetzen oder um sie zu bekommen, wenn sie Mangelware ist; sie kann auch in Dienstleistungen bestehen. Der Idealzustand für den Unternehmer herrscht dann, wenn er den Kaufpreis kassiert, ohne irgend etwas dafür zu liefern. Die Realyse begann meines Erachtens mit den Affären der Falschmelder und Unterschleifer, von denen Sie ja gehört haben müssen.«

»Hab ich. Aber was ist Realyse?«

»Wirklichkeitsschwund. Wörtlich – Auflösung des Realen. Als der Skandal der Computer-Unterschleife platzte, da wurde alles den Rechenanlagen in die Schuhe geschoben. In Wahrheit hatten mächtige Konsortien und Geheimkartelle die Hand im Spiel. Sehen Sie, es ging darum, die Planeten bewohnbar zu machen. Angesichts der Überbevölkerung ein dringendes Anliegen. Es galt riesige Raketenflotten zu bauen, Klimaverhältnisse und die Atmosphäre von Saturn und Uranus zu verändern; weit einfacher war es, dies nur auf dem Papier zu tun.«

Ich wunderte mich: »Das mußte doch nach kurzer Zeit auffliegen!«

»Keineswegs. Da ergeben sich halt unvorhergesehene objektive Schwierigkeiten, ehemals ungeahnte Probleme, Hindernisse; man braucht neue Kredite und Anweisungen . . . So hat etwa das Uranusprojekt bisher 980 Milliarden verschlungen, und wer weiß, ob droben auch nur ein Steinchen bewegt wurde?«

»Und die leitenden Aufsichtskommissionen?«

»Die Kommissionen sind nicht aus Astronauten zusammengesetzt, und der Ungeschulte kann auf jenen Planeten nicht landen. Mithin werden Bevollmächtigte abgesandt, und diese stützen sich wiederum auf das Material, das ihnen vorgelegt wird: auf Verzeichnisse, Fotos, Statistiken. Aber die Dokumentation läßt sich ja fälschen. Und noch weit leichter läßt sich alles Nötige durch Maskone vortäuschen.«

»Ah!«

»Sehen Sie. Schon vorher dürfte auf ähnliche Weise auch die fingierte Rüstungstätigkeit begonnen haben. Die Regierungsaufträge ergehen ja an private Firmen. Die haben Milliarden eingesteckt und nichts getan. Das heißt, sie erzeugten allerdings Lasergeschütze, Abschußanlagen, Anti-Anti-Anti-Anti-Raketen (jetzt haben wir die sechste Generation), fliegende Panzer, sogenannte U-Tassen, aber alles nur Hapunktuell.«

»Wie bitte?«

»Halluzinatorisch, mein Bester. Wozu noch Kernwaffentests, wenn man Fungolpastillen hat?«

»Was ist das?«

»Pastillen, die bewirken, daß man nach dem Einnehmen einen Atompilz sieht. Und so ging es weiter – in Kettenreaktion: wozu noch Soldaten ausbilden? Im Mobilmachungsfall bekommen sie Drillpillen. Auch die Führerausbildung lohnt sich nicht; dafür sorgen Strategil, Generalat, Taktil, Ordol. ›Wer wird sich mit dem Clausewitz quälen? Pulver macht euch zu Generälen.‹ Kennen Sie diesen Spruch?«

»Nein.«

»Weil diese Präparatgarnituren geheim sind. Zumindest nicht zum Vertrieb zugelassen. Auch Truppenlandungen sind überflüssig. Es genügt, über dem Unruheherd ein geeignetes Maskon zu zerstäuben, und die Bevölkerung erblickt landende Fallschirmjäger-Einheiten, Marineinfanterie, Panzer ... Ein echter Panzer kostet jetzt fast eine Million Dollar, ein halluzinierter etwa einen Hundertstelcent pro Betrachter; dieser Wert heißt Panzerkopfindex. Ein Panzerkreuzer kostet einen Viertelcent. Das gesamte Waffenarsenal der Vereinigten Staaten ließe sich heute auf ein einziges Lastauto verladen. Tankon, Kadaveron, Bombon, fest, flüssig und gasförmig. Dem Vernehmen nach gibt es sogar ganze Invasionen von Marsungeheuern – als entsprechend zurechtgemixtes Pülverchen.«

»Alles in Form von Maskonen?«

»Versteht sich. Die echte Armee wurde somit entbehrlich. Verblieben ist nur ein wenig Luftwaffe, und auch dies ist fraglich. Wozu auch? Das war ein lawinenhafter Prozeß, verstehen Sie? Er ließ sich nicht mehr anhalten. Dies ist das ganze Geheimnis der Abrüstung. Im übrigen nicht nur der Abrüstung. Haben Sie die heurigen neuen Modelle von Cadillac, Dodge und Chevrolet gesehen?«

»Ja, die sind recht schön.«

Der Professor reichte mir das Fläschchen.

»Bitte sehr. Gehen Sie zum Fenster und begucken Sie diese feinen Autos.«

Ich neigte mich über das Fensterbrett. Durch die Straßenschlucht, die ich vom elften Stockwerk aus betrachtete, glitt ein Strom glänzender Kraftwagen, deren Dächer und Scheiben in der Sonne blitzten. Ich hob das geöffnete Fläschchen an die Nase, zwinkerte, bis die Tränen abgeschüttelt waren, und vertiefte mich in einen ungewöhnlichen Anblick. Leere Luft in den brusthoch angehobenen Händen haltend, wie Kinder, die Schofför spielen, trabten auf der Fahrbahn Kolonnen von Wirtschaftstreibenden. Während die Beine hastig vorwärtszappelten, waren die Oberkörper zurückgebogen, als stemmten sie sich gegen nachgiebig weiche Polstersitze. Dann und wann zeigte sich in den geschlossenen Reihen dieser Renner ein einsames qualmendes Auto. Als die Wirkung des Mittels abklang, erzitterte das Bild und glich sich wieder aus, und aus der Vogelschau sah ich wie zuvor den glitzernden Strom weißer, gelber und smaragdfarbener Autodächer majestätisch durch Manhattan fließen.

»Ein Alptraum!« – sagte ich mit Nachdruck. »Aber immerhin ist der Friede gesichert. Pax urbi et orbi – das wiegt vielleicht alles auf?«

»Nun ja, versteht sich, die Sache hat nicht nur schlechte Seiten. Die Zahl der Infarkte ist erheblich zurückgegangen, denn diese Langstreckenläufe sind ein prächtiges Fitneß-Training. Andererseits mehren sich Lungenemphyseme, Herzerweiterungen und Krampfadern. Nicht jeder hat das Zeug zum Marathonläufer.«

»Also deshalb haben Sie kein Auto!« – rief ich einsichtsvoll.

Der Professor lächelte nur ein schiefes Lächeln.

»Ein Mittelklassewagen kostet heute kaum 450 Dollar« – sagte er. »Aber verglichen mit den Herstellungskosten, die bei einem Achtelcent liegen, ist das ziemlich gesalzen. Die Anzahl real tätiger Menschen verringert sich rasend schnell. Die Komponisten stecken Honorare ein und zahlen den Auftraggebern Schmiergelder. Und dem Publikum, das zur Uraufführung in die Philharmonie kommt, wird melotropes Konzertan unter die Nase gerieben.«

»Moralisch gesehen schutzig« – sagte ich. »Aber ist das in

gesellschaftlichem Maßstab sehr schädlich?«

»Bislang noch nicht. Im übrigen hängt die Bewertung vom Blickwinkel ab. Dank Transmutin können Sie eine Liebschaft mit einer Ziege haben, die Ihnen als leibhaftige Venus von Milo erscheint. Die Stelle wissenschaftlicher Arbeiten und Debatten vertreten Kongressine und Dekongressine. Und dennoch gibt es im Leben einen gewissen Mindestbedarf, der sich nicht durch Scheinbilder decken läßt. Wir müssen irgendwo wirklich wohnen, irgend etwas essen, irgend etwas atmen. Jedoch die Realyse verzehrt ein reales Tätigkeitsfeld nach dem anderen. Überdies besteht eine beängstigende Hochflut von Nebenerscheinungen. Sie erfordern den Einsatz von Dehalluzininen, Neosupermaskonen und Fixinen; der Erfolg ist zweifelhaft.«

»Was sind das für Sachen?«

»Dehalluzinine sind neue Fertigpräparate, die vortäuschen, es werde nichts vorgetäuscht. Anfangs wurden sie nur bei Geisteskranken angewendet. Aber eine zunehmende Anzahl von Menschen mißtraut der Echtheit der eigenen Umwelt. Amnestane helfen nicht gegen Gesichtegeschichte. Das sind übereinandergeschichtete sekundäre Gesichte, verstehen Sie? Na, wenn sich einer einbildet, er bilde sich ein, daß er sich nichts einbilde. Oder umgekehrt. Das ist ein typischer Problemkreis der sogenannten hochbautechnischen oder n-stöckigen zeitgenössischen Psychiatrie. Doch am gefährlichsten sind diese neuen Maskone. Sehen Sie, das Übermaß an Präparaten schädigt die Organismen. Den Leuten fällt das Haar aus; Ohren verhornen; Rattenschwänze schwinden ...«

»Wachsen, wollten Sie wohl sagen.«

»Nein. Schwinden. Schon seit dreißig Jahren haben alle Menschen Rattenschwänze. Das war die Folge des Ortographins. Für die blitzartige Erlernbarkeit des Schreibens mußte dieser Preis bezahlt werden.«

»Unmöglich, Professor! Ich bin oft am Strand. Niemand hat einen Rattenschwanz!«

»Sie kindliches Gemüt! Rattenschwänze werden mit Antirattocaudol maskiert, das hinwiederum Zahnverfall und Nägelschwärzung verursacht.«

»Die ihrerseits maskiert werden?«

»Natürlich. Schon Milligramme eines Maskons sind wirksam, aber insgesamt nimmt jeder Mensch pro Jahr rund hundertneunzig Kilogramm zu sich. Leicht einzusehen, wenn man bedenkt, daß Wohnanlagen vorgetäuscht werden müssen, Getränke, Speisen, die Artigkeit der Kinder, die Höflichkeit der Beamten, wissenschaftliche Entdeckungen, der Besitz von Rembrandts und Klappmessern, Raumflüge, Überseereisen und eine Million von sonstigen Dingen. Gäbe es kein Arztgeheimnis, so wüßten alle Bescheid: jeder zweite Einwohner von New York ist scheckig, hat auf dem Rücken grünlichen Borstenwuchs und an den Ohren Stacheln; ferner infolge des ständigen Galoppierens Plattfüße und ein Lungenemphysem nebst Herzerweiterung. Dies alles muß verborgen werden. Und just zu diesem Zweck dienen die Neosupermaskone.«

»Ein Alptraum! Und es gibt keinerlei Abhilfe?«

»Unser Kongreß soll eben die zukundlichen Alternativen erörtern. In Fachkreisen spricht man allgemein von der Notwendigkeit einer grundlegenden Änderung. Derzeit verfügen wir über achtzehn Projekte.«

»Der Erlösung?«

»Auch so läßt sich das nennen. Vielleicht nehmen Sie Platz und lutschen die Materialen durch? Aber ich hätte auch eine Bitte an Sie. In einer heiklen Sache.«

»Für Sie tue ich, was Sie wünschen.«

»Gut. Ich zähle darauf. Sehen Sie, von einem Kollegen, einem Chemiker, habe ich Proben zweier neu synthetisierter Stoffe bekommen, beide aus der Gruppe der Wachpulver oder Ausnüchterer. Er hat sie mir mit der Morgenpost geschickt. Er schreibt mir«, – Trottelreiner nahm einen Brief vom Arbeitstisch – »mein Präparat sei kein echtes Wachpulver. Dasselbe, das auch Sie versucht haben, Tichy. Er schreibt wörtlich: ›Um von vielen Krisenerscheinungen das

Augenmerk der Sachsichtigen abzulenken, liefert ihnen vorsätzlich und böswillig die Bundespsyf (d. h. die Bundesstelle für Psycho-Formierung) falsche Halluzinationslöscher, versetzt mit Neomaskonen.‹«

»Da komme ich nicht mit. Die Wirkung Ihres Präparats habe ich doch an mir selbst erfahren. Und was sind Sachsichtige?«

»Träger einer hohen gesellschaftlichen Funktion, zu denen auch ich gehöre. Sachsichtigkeit umfaßt das Recht und die Möglichkeit, von Wachpulvern Gebrauch zu machen – zwecks Einsicht in den *wahren* Sachverhalt. Irgend jemand hat ihn zu kennen. Das liegt doch wohl auf der Hand?«

»Allerdings.«

»Nun zu diesem Mittel: mein Freund nimmt an, es hebe zwar die Wirkung älterer, längst eingeführter Maskone auf, doch beseitige es nicht alle, und schon gar nicht die neuesten. Dies hier«, – der Professor hob das Fläschchen hoch – »das wäre also kein Ausnüchterer, sondern ein tückisch entworfenes und als Ausnüchterer getarntes Maskon, das heißt, ein Wolf im Schafspelz!«

»Wozu aber? Wenn doch notwendig ist, daß jemand weiß . . .«

»Notwendig in allgemeinem Sinne, wenn man das Gemeinwohl als Ganzes ins Auge faßt, nicht jedoch unter dem Blickwinkel der Einzelinteressen diverser Politiker, Körperschaften und sogar Bundesorgane. Wenn es schlechter steht, als es für uns Sachsichtige aussieht, dann möchten die gern, daß wir keinerlei Alarm schlagen. Deshalb haben sie dieses Mittel zurechtgemacht, so wie einstmals leicht auffindbare Geheimfächer in alten Möbeln angebracht wurden. Der Suchende sollte sich mit dem ersten Fund zufriedengeben und nicht weiter nach den echten Verstecken stöbern, die weit geschickter getarnt waren.«

»Ja. Jetzt verstehe ich. Was kann ich für Sie tun?«

»An dieser Ampulle schnuppern, während Sie die Materialien studieren. Und dann noch an dieser zweiten. Ich habe ehrlich gesagt nicht den Mut.«

»Weiter nichts? Mit dem größten Vergnügen.«

Ich übernahm vom Professor beide Glasröhrchen, setzte mich in den Lehnstuhl und begann mir die Zusammenfassungen der eingesandten zukundlichen Arbeiten nacheinander zu Gemüte zu führen. Im ersten Projekt war vorgesehen, die Verhältnisse zu sanieren, indem man der Atmosphäre tausend Tonnen Inversin beimengte, ein Präparat, das alle Empfindungen um 180 Grad dreht. Die erste Phase beinhaltete das Versprühen dieses Präparats. Fortan sollten Wohlleben, Sattheit, schmackhafte Nahrung und alles Hübsche und Säuberliche allgemeinem Haß anheimfallen, während Gedränge, Armut, Häßlichkeit und Elend aufs höchste begehrt würden. Die zweite Phase brächte den schlagartigen Entzug sämtlicher Maskone und Neomaskone. Nun erst, Auge in Auge mit der ehemals unkenntlichen Wirklichkeit, wäre die Gesellschaft vollauf zufriedengestellt; sie stünde ja am Ziel ihrer Wünsche. Möglicherweise müßten anfangs sogar Pejotrone eingesetzt werden (Lebenslagenverschlechterer). Da aber Inversin ausnahmslos alle Empfindungen angreift, schüfe es auch Abscheu vor erotischen Freuden, und die Menschheit liefe Gefahr, auszusterben. Deshalb sollte die Wirkkraft des Inversins einmal im Jahr für 24 Stunden durch ein Gegenpräparat zeitweilig blockiert werden. Dieser Tag brächte zwangsläufig eine sprunghaft erhöhte Selbstmordquote, doch dies würde im Überfluß wettgemacht durch den gleichzeitig in die Wege geleiteten Bevölkerungszuwachs.

Ich kann nicht behaupten, daß mich dieser Plan begeistert hätte.

Den einzigen Lichtblick bildete die Feststellung, der Projektspender stünde als Sachsichtiger unweigerlich dauernd unter Antidot-Einfluß. Allgemeine Not und Häßlichkeit wie auch der Schmutz und die Eintönigkeit des Lebens könnten ihn also gewiß nicht allzu heiter stimmen. Der zweite Plan sah vor, in Fluß- und Meerwasser 10 000 Tonnen Retrotemporal aufzulösen. Das ist ein Umwender des subjektiven

Zeitablaufs. Das Leben böte sich dann folgendermaßen dar: die Menschen kämen als mürbe Greise zur Welt und verließen diese als Neugeborene. Der Entwurf hob hervor, solcherart werde das Haupthemmnis der menschlichen Seinsweise beseitigt, nämlich die für jeden einzelnen unausweichliche Aussicht auf Alter und Tod. Im Laufe der Zeit würden alle Greise jünger und gewönnen Kraft und Schwung. Nach Beendigung der Berufstätigkeit würden sie kindisch und zögen ins gesegnete Land der Kinderjahre ein. Den Clou des Projektes bildete seine Menschenfreundlichkeit; sie ergab sich auf natürliche Weise aus der Unschuld des Säuglingsalters, das nichts weiß von der Sterblichkeit alles Lebendigen. Da die Umkehrung des Zeitablaufes nur subjektiv ist, müßten in die Kindergärten, Krippen und Gebärkliniken freilich Greise eingewiesen werden. Der Entwurf erklärte nicht deutlich, was nachher mit ihnen geschehen sollte, sondern vermerkte lediglich schematisch, man könnte sie einer geeigneten Behandlung im sogenannten staatlichen Euthanasium zuführen. Nach dieser Lektüre erschien mir das vorige Objekt gar nicht so übel.

Das dritte Projekt war langfristig und weit radikaler. Vorgesehen waren Ektogenese, Filialismus und allseitige Homikry. Vom Menschen verbliebe nur das Gehirn in einem eleganten Hartharzgehäuse, ein globusartiges Gebilde, ausgestattet mit Kupplungen, Kontakten und Steckern. Beantragt wurde die Umstellung des Stoffwechsels auf Kernenergie; demgemäß sollte der körperlich unnötig gewordene Nahrungsverzehr ausschließlich in der entsprechend programmierten Einbildung stattfinden. Der Hirnglobus ließe sich an beliebige Gliedmaßen, Geräte, Maschinen, Vehikel und ähnliches anschließen; diese Filialisierung war auf zwei Dekaden verteilt. In der ersten sollte Teilfilialismus in Kraft treten, wobei man entbehrliche Organe zu Hause ließe; z. B. vor dem Theaterbesuch könnte man Begattungs- und Kotentleerungsorgane abschnallen und in den Schrank hängen. Im nächstfolgenden Jahrzehnt schwände durch Homikry das allgemeine Gedränge, das Ergebnis der Überbevölkerung. Kabel und drahtlose Kanäle von Hirn zu Hirn entbänden von jeder Ortsveränderung, von Kurskonferenzen, Dienstfahrten und mit Reisen verbundenen Besprechungen, kurzum, von persönlichem Aufsuchen irgendwelcher Örtlichkeiten, da ja für den gesamten Herrschaftsbereich der Menschheit – bis zu den fernsten Planeten – jedem Lebenden in gleicher Weise die Meßfühler zur Verfügung stünden. Die Massenproduktion würfe auf den Markt Darmmaschinen, Manipuliermaschinen, Pedikuliermaschinen sowie gewöhnliche Schienen, d. h. Gleise einer Art von Heimkleinbahn, wo die bloßen Köpfe zum Vergnügen auf und ab rollen konnten. Ich unterbrach die Lektüre und vermerkte, die Verfasser der Arbeiten seien gewiß verrückt. Trottelreiner entgegnete frostig, ich zöge allzu vorschnelle Schlüsse. Das Eingebrockte müsse ausgelöffelt werden. Das Kriterium gesunder Vernunft sei auf die Menschheitsgeschichte nicht anwendbar. Averroës, Kant, Sokrates, Newton und Voltaire hätten auch nicht geglaubt, daß ein blechernes Wägelchen auf Rädern im 20. Jahrhundert zur Plage der Städte, zum Lungenvergifter, Massenmörder und Kultgegenstand werden sollte und daß die Leute vorzögen, in diesem Gerät bei Massenausfahrten am Wochenende zerschmettert umzukommen, anstall heil daheim zu sitzen. Ich fragte welches Projekt der Professor zu unterstützen gedenke.

»Ich habe mich noch nicht entschieden«, sagte er. »Das drückendste Problem bilden meines Erachtens die Heimchen – heimlich geborene Kinder. Außerdem befürchte ich Chemachinationen während der Debatten.«

»Das heißt?«

»Daß ein Projekt mit Hilfe von Glaubsalzen durchgedrückt wird.«

»Sie meinen, man könnte euch dort unter Gift setzen?«

»Warum nicht? Was ist leichter, als durch die Klimaanlage Aerosol in den Saal zu lassen?«

»Was ihr auch immer beschließen mögt, daran braucht sich

die Allgemeinheit nicht zu halten. Die Leute nehmen nicht alles willenlos hin.«

»Mein Lieber, seit fünfzig Jahren entwickelt sich die Kultur nicht wildwüchsig. Im 20. Jahrhundert diktierte ein Dior die Kleidermode. Heutzutage umfaßt die Reglementierung bereits alle Lebensbereiche. Erlangt der Filialismus die Mehrheit, so wird in einigen Jahren jedermann das Verharren in einem weichen haarigen schwitzenden Körper schimpflich und anstößig finden. Den Körper muß man waschen, pflegen, von Gerüchen befreien – und dennoch verrottet er. Hingegen in der Filialkultur, da kannst du dich aus den schönsten Wunderwerken der Ingenieurkunst zusammenschalten. Welche Frau möchte nicht silberne Halogenlichter statt der Augen? Teleskopartig vorspringende Brüste? Engelsflügel? Waden mit Ausstrahlung? Fersen, die bei jedem Schritt melodische Klänge von sich geben?«

»Wissen Sie was?« – sagte ich. »Verduften wir. Raffen wir Sauerstoffvorräte und Proviant zusammen und verkriechen wir uns in die Rocky Mountains. Professor, Sie erinnern sich doch an die Hilton-Kanäle? Haben wir es dort etwa schlecht gehabt?«

Der Professor schien zu zaudern. »Sie sprechen im Ernst?« – begann er.

Wahrlich nicht mit Vorbedacht hob ich das Glasröhrchen an die Nase, das ich immer noch zwischen den Fingern hielt; ich hatte es völlig vergessen. Von dem stechenden Geruch kamen mir die Tränen; ich nieste einmal ums andere, und als ich die Augen wieder öffnete, da hatte sich das Zimmer verändert. Der Professor sprach weiter, ich hörte seine Stimme, doch ich war so überwältigt vom Eindruck der Verwandlung, daß ich kein Wort verstand. Schmutz überzog die Wände; der ehemals tiefblaue Himmel hatte sich ins bläulich Braungraue verfärbt; manche Fensterscheiben waren längst zerbrochen; auf den restlichen lag fettiger Ruß, grau durchstriemt von Regenspuren.

Ich weiß nicht, warum, doch besonders verstörte mich der

schimmelige Sack; als solcher entpuppte sich nämlich die schicke Aktenmappe, worin der Professor die Kongreßmaterialien mitgebracht hatte. Ich war wie versteinert. Ihn selbst wagte ich nicht anzuschauen. Ich schielte unter den Schreibtisch. Statt der Streifhosen und Gamaschen des Professors befanden sich dort lässig gekreuzte Prothesen. An den Sohlen, zwischen Sehnensträngen aus Draht, hatte sich ein wenig Kies und Straßenschmutz verklemmt. Der stählerne Fersenzapfen glänzte, durch Abnutzung glattgeschliffen. Ich stöhnte auf.

»Was haben Sie? Kopfweh? Möchten Sie eine Tablette?« – drang die mitleidige Stimme in mich. Ich überwand mich und blickte zum Sprecher auf.

Von seinem Gesicht war nicht viel übrig. In Fetzen klebte an den zerfressenen Wangen faulendes, lang nicht gewechseltes Verbandzeug. Selbstredend trug er noch Augengläser; das eine war gesprungen. Am Hals, in einer Öffnung, die von einem Luftröhrenschnitt herrührte, stak ein ziemlich schlampig eingeführter Vocoder und schwankte im Rhythmus der Stimme. Ums Brustgestell hing die Jacke, ein verschimmelter Lumpen. Links war ein Loch hineingeschnitten und mit einer getrübten Kunststoffscheibe vermacht. In bläulichgrauen Zuckungen schlug dahinter das Herz, strotzend von Klammern und Nähten. Die linke Hand sah ich nicht; die rechte, die den Bleistift hielt, war eine grünspanverfärbte Messingprothese. Im Aufschlag hing ein nachlässig angeheftetes Läppchen; mit roter Tusche hatte jemand daraufgeschrieben: »Aufbau 119 859/21 Transpl., 5 x abgestoßen.« Mir wollten die Augen aus dem Kopf quellen, während hinterm Schreibtisch der Professor jählings erstarrte, mein Entsetzen wie ein Spiegel in sich aufnehmend.

»Was gibt's? Habe ich mich so sehr verändert? Wie?« – brachte er heiser hervor.

Ich erinnere mich nicht, aufgestanden zu sein, doch ich kämpfte gegen die Türklinke an.

»Tichy! Was fällt Ihnen ein? Hören Sie, Tichy! Tichy!!!« –

rief er verzweifelt und richtete sich mühsam auf. Die Tür gab nach; zugleich ertönte ohrenzerreißendes Gepolter.

Professor Trottelreiner hatte sich allzu heftig bewegt und das Gleichgewicht verloren, so daß er umkippte und unter knöchrigem Rasseln aller seiner verdrahteten Halterungen auf dem Fußboden auseinanderfiel. In den Augen verblieb mir das Bild dieses verzweifelten Strampelns: spitzige Fersenstrümpfe zerschürfen das Parkett, und als grauer Sack flattert das Herz hinter dem gesprungenen Fensterchen. Ich flüchtete den Korridor entlang, wie von Furien gehetzt.

Im ganzen Gebäude herrschte reges Kommen und Gehen; ich war just in die Mittagspause geraten. Aus den Büros traten Beamte und Sekretärinnen und strebten gesprächig den Aufzügen zu. Ich mischte mich ins Gedränge vor einer offenstehenden Fahrschachttür, aber da kein Lift kam, guckte ich endlich in den Schacht und begriff, warum sich das Phänomen der Kurzatmigkeit so allgemein verbreitet hatte. Das Ende des längst abgerissenen Seils baumelte lose herab, und am lotrechten Maschengitter des Schachtkäfigs kletterten alle mit äffischer Gewandtheit, die von langjähriger Übung zeugte. Sie klommen dem Dachcafé entgegen, heiter, plaudernd, obwohl ihnen perlender Schweiß die Stirn betaute. Ich zog mich unauffällig zurück und lief die Treppe hinab, die um den Schacht voll geduldiger Kletterer eine Schraubenbahn beschrieb. Einige Stockwerke tiefer bremste ich ab. Noch immer strömten Leute aus allen Türen. Ringsum gab es fast nur Büros. In einer Mauernische schimmerte ein offenes straßenseitiges Fenster. Hier blieb ich stehen, zupfte zum Schein meinen Anzug zurecht und schaute in die Tiefe. Anfangs entdeckte ich nichts Lebendiges in dem Gewühl auf den Gehwegen. Aber ich hatte bloß die Passanten nicht gleich erkannt. Die allgemeine Eleganz war verflogen. Sie gingen einzeln oder zu zweien, zerlumpt, viele auch bandagiert, mit Papier umwickelt oder im bloßen Hemd, so daß ich in der Tat bestätigt fand, daß sie fleckig und borstig waren, zumal auf dem Rücken. Manche hatten offenbar

Ausgang aus dem Spital, um dringende Angelegenheiten zu erledigen. Beinamputierte rutschten auf Brettchen mit kleinen Rädern, umschwirrt von Geplauder und Gelächter. Ich sah Damen mit faltigen Elefantenohren, Herren mit Gehörn, zierlich und kokett am Leibe getragene alte Zeitungen, Strohwische und Säcke. Wer zur Not noch besser erhalten und gesünder war, lief in gestrecktem Galopp auf der Fahrbahn dahin und mimte mit tänzerisch hochgekipptem Fuß das Schalten der Gänge. Im Gewühl überwogen die Roboter. Mit Zerstäubern, Dosimetern und Spritzapparaten sicherten sie jedem seine Portion Aerosolnebel. Dabei ließen sie es nicht bewenden; eng umschlungen ging ein junges Paar (sie hatte den Rücken voll Schuppen und er voll Pusteln), und hinterdrein stapfte wuchtig ein Zifferhansel; mit dem Zerstäubertrichter schlug er methodisch auf die Köpfe der Verliebten. Die Zähne klirrten ihnen, sie aber nahmen nichts dergleichen zur Kenntnis. Ob er das einem Plan zufolge tat? Doch zum Nachsinnen war ich nicht mehr fähig. Die Hände um die Fensterkante verkrallt, schaute ich in die Perspektive der Straße, schaute auf Trubel und Galopp und Kraftstrotzen, ich, der einzige Zeuge, das einzige sehende Augenpaar – ob auch gewiß das einzige? Die Grausamkeit des Schauspiels schien einen anderen Betrachter zu verlangen, einen Urheber, der – ohne die Wirkung abzuschwächen – diesen Genrebildchen erst Sinn verliehe als Schirmherr wonniger Verwesung, einen grausigen also, aber irgendeinen. Ein kleiner Kompolutzer ruckzuckelte um die Beine eines energischen alten Mütterchens und knickte ihr unentwegt die Knie ein; jedesmal schlug sie der Länge nach hin, stand auf und ging weiter; er warf sie wieder um, und so entschwanden sie schließlich meinen Blicken: er mechanisch stur, sie flott und selbstsicher. Viele Roboter schauten den Leuten aus nächster Nähe ins Gebiß, vielleicht, um den Effekt der Sprühbäder zu überprüfen – aber nicht danach sah das aus. An den Ecken standen zahlreiche Drückse und unrobotmäßige Elemente; aus einem Seitentor wälzten sich nach Schichtschluß Arboter, Groboter, Teppster und Mikroboter; auf der Fahrbahn schob sich ein riesiger Komposter vorbei und griff mit der Pflugferse auf, was ihm unterkam; er warf die Kaputer in seinen Müllkasten, und mit ihnen eine Greisin; ich biß mir in die Finger und bedachte nicht, daß sie noch die unangebrochene zweite Ampulle umfaßt hielten; wildes Feuer verbrannte mir die Kehle. Die Umgebung erzitterte; heller Nebel umfing sie, bis mir eine unsichtbare Hand langsam den trübenden Film von den Augen hob. Versteinert starrte ich auf die ablaufende Verwandlung, und in gräßlich würgendem Vorgefühl ahnte ich bereits, daß die Wirklichkeit nun ihre nächste Schicht von sich abschälen sollte; offenbar folgte seit undenklichen Zeiten eine Fälschung auf die andere, so daß ein stärkeres Mittel höchstens mehr an Hüllen abreißen und tiefere erreichen konnte, weiter nichts. Ringsum wurde es heller. Weiß. Schnee lag auf den Gehwegen, vereist, von Hunderten Füßen hartgestampft. Die Farbstimmung der Straße wurde winterlich, zugleich verschwanden die Schaufenster; statt der Glasscheiben sah ich überall verfaulte, über Kreuz vernagelte Bretter. Zwischen den schmutzigen, sickerfleckigen Mauern herrschte Winter; von Lampen und Türstürzen hingen Girlanden glitschiger Eiszapfen; in der schneidenden Luft lag bitterer Qualm, bläulich wie der Himmel in der Höhe; vor den Mauern türmten sich schmutzige Schneehalden; Kehrrichtknäuel ragten heraus; an manchen Stellen lag etwas Schwarzes, etwas wie ein Pack Lumpen, ein großes Bündel; der ununterbrochene Strom der Fußgänger stieß diese Bündel hin und her, schleuderte sie mit Fußtritten zur Seite, in die Winkel, zwischen rostige Behälter, Dosen und eisverhärtetes Sägemehl. Schnee fiel nicht, aber sichtlich hatte es stark geschneit und sollte bald wieder schneien. Plötzlich begriff ich, wer von der Straße verschwunden war: die Roboter. Keiner war da. Kein einziger. Ihre verschneiten Rümpfe lagen vor den Häusern, erstorbene eiserne Wracks, einträchtig vermengt mit menschlichem Abfall, mit Fetzen, woraus gelbliche rauhreifbedeckte Knochen hervorstachen. Ein Zerlumpter setze sich just auf einen Schneehaufen und bettete sich zurecht wie in Daunenzeug; ich sah den zufriedenen Gesichtsausdruck; der Bursche fühlte sich wie zu Hause, allein im eigenen Bett; er streckte die Beine aus, wühlte bloßfüßig im Schnee; dies also war jene kalte Strömung, jene seltsame Frische, die manchmal wie aus weiter Ferne herüberwehte, sogar mitten auf der Straße, am hellichten sonnigen Mittag – der Bursche hatte sich schon zum langen Schlaf niedergelegt – das also steckte dahinter. Das Menschengewimmel zog teilnahmslos vorbei; die Passanten waren mit sich selbst beschäftigt: die einen bestäubten die anderen. Am Verhalten ließ sich rasch erkennen, wer sich für einen Menschen hielt – und wer für einen Roboter. Auch die Roboter waren also nur gespielt? Und woher dieser Winter mitten im Sommer? War der ganze Kalender ein Blendwerk? Wozu aber? Tiefkühlschlaf als Gegenmittel gegen Übervölkerung? Dann war also doch ein sorgsamer Planer am Werk, und ich sollte verschwinden, ohne bis zu ihm gedrungen zu sein? Meine Blicke glitten nun über die krätzigen Wolkenkratzerwände mit den zerschlagenen Fenstern; hinter mir herrschte Stille; der Lunch war zu Ende. Die Straße – das war die äußerste Grenze; meine sehenden Augen hatten keine rettende Kraft; in diesem Gewühl müßte ich untergehen, und ich brauchte doch jemanden – allein konnte ich mich bestenfalls eine Zeitlang versteckt halten, wie eine Ratte. Ich war schon jenseits der Verblendung, demnach in der Einöde. Entsetzt und verzweifelt wich ich vom Fenster zurück; mein ganzer Körper spürte ja leider den Frost, gegen den mich nun kein vorgegaukeltes sonniges Klima abschirmte. Ich begriff selber nicht, wohin ich ging, möglichst lautlos den Boden berührend. Ja: ich verbarg bereits die eigene Anwesenheit. Dieses Buckeln und Ducken, die raschen Seitenblicke, das Innehalten und Horchen, dies alles gab mir der Instinkt ein, noch ehe ich irgendeinen Entschluß gefaßt hatte. Aber ich spürte auch bis ins Mark: mir war anzusehen, was ich mit ansah, und dies konnte nicht unbestraft bleiben. Ich ging durch den Korridor des sechsten oder des fünften Stockwerks; zu Trottelreiner konnte ich nicht zurückkehren; die Hilfe, die er brauchte, hätte ich ihm sowieso nicht geben können. Fieberhaft erwog ich mehrere Dinge zugleich, vor allem aber eines: wird das Mittel zu wirken aufhören? Werde ich mich wieder in Arkadien vorfinden? Merkwürdig – diese Aussicht erregte in mir kein anderes Gefühl als nur Ekel und Angst, so, als wollte ich lieber mit vollem Wissen in einem Berg Müll erfrieren, statt die Linderung Trugbildern zu verdanken. Den einen Seitengang konnte ich nicht betreten; den Weg verlegte der Körper eines Greises, der zum Gehen nicht mehr die Kraft hatte, so daß seine zitternden Beine die Schritte nur andeuteten, während er mir mit leisem Röcheln aus der Agonie heraus gesellig zulächelte. Also rasch in den anderen Seitengang – bis vor die Mattglastür eines Büros. Drinnen war es völlig still. Ich trat ein, die Pendeltür schaukelte, ich stand in einem menschenleeren Schreibmaschinensaal. Die Tür am anderen Ende stand einen Spalt weit offen. Ich spähte in ein helles großes Zimmer und wollte eben davonschleichen, weil dort jemand saß, aber da meldete sich eine wohlbekannte Stimme:

»Treten Sie bitte ein, Tichy.«

Ich trat also ein. Ich wunderte mich gar nicht sonderlich über die Anrede, die so klang, als würde ich erwartet; ich nahm auch ruhig hin, daß am Schreibtisch der ehrenwerte George Symington saß: er trug einen grauen Flanellanzug, hatte ein flaumiges Seidentuch um den Hals, einen dünnen Zigarillo im Mund und schwarze Brillengläser vor den Augen und schien mich halb mit Herablassung, halb mit Bedauern zu mustern.

»Nehmen Sie Platz« – sagte Symington. »Das wird eine Weile dauern.«

Ich setzte mich. Dieses Zimmer mit unversehrten Fensterscheiben bildete eine Oase von Reinlichkeit und Wärme inmitten des allgemeinen Verfalls. Keine Spur von eisigem Zugwind oder angewehtem Schnee; ein Tablett, dampfender schwarzer Kaffee, ein Aschenbecher, ein Diktiergerät ... Und über Symingtons Kopf hinweg sah ich ein paar Farbfotos an der Wand hängen: weibliche Akte. Unversehens und einigermaßen unsinnig knüpfte sich daran der Gedanke, daß auf den abgebildeten Körpern keine Flechte wuchere.

»Das haben Sie nunn davon!« – sagte Symington nachdrücklich. »Und dabei können Sie sich nicht beklagen. Die beste Pflegerin, der einzige Sachsichtige im ganzen Staat, alle haben Ihnen zu helfen versucht. Sie aber? Sie wollten auf eigene Faust nach der ›Wahrheit‹ stochern!«

»Ich?« – begann ich; seine Worte hatten mich völlig verwirrt. Aber ehe ich mich fassen und auf diese Worte einstellen konnte, fuhr er auf mich los:

»Bitte nur nicht lügen! Dazu ist es zu spät. Sie sind sich wohl unerhört pfiffig vorgekommen, wenn Sie so mit Ihren Klagen hausieren gingen, mit dem Verdacht einer ›Halluzination‹! ›Kanal‹, ›Hotelratten‹, ›Aufsitzen‹, ›Satteln‹! Mit solchen plumpen Finten wollten Sie sich behelfen? Die schienen Ihnen gut genug? So dumm kann wirklich nur ein Tautropf sein!«

Ich hörte ihm zu und vergaß den Mund zu schließen. Blitzschnell begriff ich: jede Gegendarstellung mußte vergeblich sein, weil mir Symington sowieso nicht glaubte. In meiner echten Zwangsvorstellung sah er ein zielgerichtetes Manöver! Auch mit jenem Gespräch, mit jener Einführung in die Geheimnisse der Firma »Procrustics Inc.« hatte er also nichts anderes bezweckt, als mich auszuhorchen! Deshalb gebrauchte er die Worte, die mich damals so gräßlich überrascht hatten; vielleicht betrachtete er sie als geheime Erkennungszeichen – für wen? Für eine Verschwörung gegen die Chemie? Meine private Angst vor der Halluzination erschien ihm als taktische Finte! Ja, es war wirklich zu spät dazu, ihm dies alles zu erklären, zumal jetzt, da die Karten aufgedeckt lagen.

»Sie haben hier auf mich gewartet?« – fragte ich.

»Versteht sich. Mitsamt Ihrem Tatendrang wurden Sie von

uns die ganze Zeit hindurch am Gängelband geführt. Wir können nicht zulassen, daß unverantwortliche Gegenbewegungen die herrschende Ordnung gefährden.«

– Der sterbende Greis im Korridor! – durchblitzte es mich. – Auch er war ein Teil jener Schranken, die mich hierherleiten halfen ...

»Nett, diese Ordnung« – sagte ich. »Und der Chef sind Sie, oder? Mein Kompliment!«

»Ihre Sticheleien sparen Sie sich gefälligst für einen besseren Anlaß« – knurrte er. Ich hatte es fertiggebracht, ihn zu verletzen. Er war erbost.

»Sie haben immerzu nach dem Urquell des Dämonischen gesucht, Sie Tautröpfchen, Sie Friergemüse aus dem vorigen Jahrhundert! Den gibt es aber nicht. Ich stille Ihre Neugier. Der existiert nicht, verstehen Sie? Wir narkotisieren die Zivilisation, denn sonst ertrüge sie sich selbst nicht. Deshalb darf sie nicht geweckt werden. Und auch Sie, mein Herr, werden deshalb zu ihr zurückkehren. Ihnen droht keine Gefahr: das ist ja nicht bloß schmerzlos, sondern auch wohltuend. Wir haben es wesentlich schwerer, denn eurem Wohl zuliebe müssen wir Nüchternheit bewahren.«

»Also Sie tun das aus purer Selbstentäußerung?« – versetzte ich. »Sehr wohl, ich verstehe, gewiß ein Opfer für die Sache der Allgemeinheit.«

»Wenn Sie auf die furchtbare Freiheit des Denkens Wert legen« – entgegnete er frostig – »dann rate ich Ihnen: spotten Sie nicht, verkneifen Sie sich die dummen Sticheleien, womit Sie sich höchstens früher um diese Freiheit bringen.«

»Sie haben mir also noch etwas zu sagen? Ich höre.«

»In diesem Augenblick bin ich außer Ihnen der einzige sehende Mensch im ganzen Staat ... Was trage ich im Gesicht?« – fügte er rasch hinzu, wie um mich festzunageln.

»Eine dunkle Brille.«

»Demnach sehen Sie dasselbe wie ich« – sagte er. »Der Chemiker, der die Mittel an Trottelreiner weitergegeben hat, ist schon in den Schoß der Allgemeinheit heimgekehrt und hegt keinerlei Zweifel. Niemand darf welche haben. Begreifen Sie das nicht?«

»Moment mal« – sagte ich. »Mir scheint, Sie legen wirklich Wert darauf, mich zu überzeugen. Warum eigentlich?«

»Weil kein Sachsichtiger ein Dämon ist« – entgegnete er. »Angesichts der Sachlage sind wir machtlos. In die Enge getrieben. Wir müssen mit den Karten spielen, die uns das gemeinschaftliche Schicksal in die Hände gedrückt hat. Wir spenden Ruhe, Heiterkeit und Erleichterung – auf die einzige noch verbliebene Art. Wir halten in Schwebe, was ohne uns in allumfassende Agonie versinken müßte. Wir sind die letzte Stütze dieser Welt. Ihr Atlant. Da sie nun einmal zugrunde gehen muß, bleibt dafür zu sorgen, daß sie nicht leidet. Läßt sich die Wahrheit nicht ändern, so muß sie verhüllt werden. Das ist die letzte Wohltätigkeit, die letzte noch menschliche Pflicht.«

»Also läßt sich ganz gewiß nichts mehr ändern?«

»Wir schreiben das Jahr 2098« – sagte er. »69 Milliarden amtlich bescheinigter Menschen und sicherlich rund 26 Milliarden Illegale. Die mittlere Jahrestemperatur ist um vier Grad gesunken. In fünfzehn, zwanzig Jahren wird hier ein Gletscher sein. Wir können der Vereisung nicht vorbeugen, wir können sie nicht hindern, wir können sie nur verbergen.«

»Ich war immer der Ansicht, in der Hölle müsse Frost herrschen« – sagte ich. »Ihr bemalt also ihre Tür mit hübschen Ornamenten?«

»Genau« – antwortete er. »Wir leisten den letzten Samariterdienst. Jemand mußte von diesem Platz aus zu Ihnen sprechen. Dieser Mensch bin zufällig ich.«

»Ich entsinne mich: Ecce homo!« – sagte ich. »Aber . . . Moment mal . . . Ich begreife, worauf Sie hinaus wollen. Sie wollen mich Ihr Amt schätzen lehren, das eines endzeitlichen Narkotiseurs. Wenn kein Brot mehr da ist – Narkose für die Leidenden! Nur weiß ich nicht, wozu meine Bekehrung gut sein soll, wenn ich sie ohnehin gleich wieder zu vergessen habe. Sagen Sie, warum plagen Sie sich mit Vernunftgründen ab, wenn die bereitgehaltenen Mittel gut sind? Sind sie gut – na dann schnell ein paar Tropfen Glaubsalzlösung, einen Spritzer in die Augen – und ich werde jedes Wort begeistert akzeptieren, Sie selbst aber werde ich achten und verehren. Sichtlich glauben Sie nicht recht an den Wert einer solchen Kur, warum fänden Sie sonst soviel Spaß an gewöhnlichem altmodischem Geschwätz und Wortgedresch? Wie kommt es, daß Ihnen ein Gespräch mehr zusagt als der Griff nach dem Zerstäuber? Offenbar wissen Sie ganz genau, daß Ihr psychemischer Sieg ein ordinärer Betrug ist und daß Sie dann auf dem Platz allein zurückbleiben, ein Triumphator mit Sodbrennen! Sie wollen mich zuerst überzeugen und dann ins Vergessen hinabstoßen, aber das wird Ihnen nicht gelingen! Verrecken sollen Sie an Ihrer edlen Sendung, mitsamt diesen Nutten auf den Fotos, womit Sie sich das Erlösungswerk versüßen! Sie brauchen halt doch etwas Echtes, ohne Borstenwuchs, oder?«

Die Wut verzerrte ihm krampfig das Gesicht; er sprang auf und rief:

»Ich habe auch andere Mittel, nicht nur idyllische! Es gibt auch chemische Höllen!«

Ich erhob mich ebenfalls. Er wollte einen Briefbeschwerer vom Schreibtisch aufheben, aber da schrie ich schon: »Dorthin gehen wir beide zusammen!« – und ich fuhr dem Gegner an die Gurgel. Der Schwung riß uns zum offenen Fenster hinüber, wie ich dies gewollt hatte. Schritte trappelten, harte Fäuste versuchten mich von Symington wegzureißen, er wand sich und strampelte, aber da war schon das Fensterbrett, ich bog ihn rücklings darüber, bot die letzten Kräfte auf und sprang. Der Luftzog pfiff mir um die Ohren, wir überschlugen uns, fest ineinander verkeilt; der kreiselnde Trichter der Straße wurde immer größer, ich machte mich auf den zermalmenden Anprall gefaßt, aber der Aufschlag war weich, schwarze Fluten sprudelten, der stinkende, innigst willkommene Schwall schlug über meinem Kopf zusammen und teilte sich wieder. Mitten im Kanal tauchte ich auf und rieb mir die Augen, intensiven Spülichtgeschmack im Mund, aber glücklich, glücklich! Professor Trottelreiner, den mein mörderisches Geschrei aus dem Schlummer aufgeschreckt hatte, beugte sich über das Gewässer und streckte mir vom Ufer her statt einer Bruderhand den Griff des eng zusammengerollten Regenschirms entgegen. *Bemben*-Geräusche verebbten. Die Hilton-Direktion schlief in Reih und Glied auf den Aufblasfauteuils (daher die Sache mit den Aufbläsen!), während sich die Sekretärinnen im Schlaf aufreizend benahmen. Jim Stantor wälzte sich schnarchend von einer Seite auf die andere und quetschte die Ratte ein, die ihm Schokolade aus der Tasche knabberte; beide erschraken. An der Wand kauerte Professor Dringenbaum, der methodische Schweizer; beim fahlgelben Schein der Taschenlampe korrigierte er mit der Füllfeder sein Referat. Als ich mir vergegenwärtigte, daß dieses sammlungsvolle Tun den Beginn der Debatten des zweiten Tages des Futurologischen Kongresses ankündigte, da begann ich so gewaltig zu lachen, daß dem Wissenschaftler das Skript aus den Händen fiel. Und es platschte ins schwarze Wasser und entschwamm in die unerforschte Zukunft.

November 1970

Von Stanisław Lem
erschienen im Suhrkamp Verlag

Robotermärchen. *Bibliothek Suhrkamp* Band 366. 1973
Das Hohe Schloß. Prosa. *Bibliothek Suhrkamp* Band 405. 1974
Solaris. Roman. *suhrkamp taschenbuch* Band 226. 1975
Die Jagd. Neue Geschichten des Piloten Pirx. *suhrkamp taschenbuch* Band 302. 1976
Transfer. Roman. *suhrkamp taschenbuch* Band 324. 1976
Nacht und Schimmel. Erzählungen. *suhrkamp taschenbuch* Band 356. 1976
Der futurologische Kongreß. *Bibliothek Suhrkamp* Band 477. 1976 und *suhrkamp taschenbuch* Band 534. 1979
Die Maske. Herr F. Zwei Erzählungen. *Bibliothek Suhrkamp* Band 561. 1977
Die Untersuchung. Kriminalroman. *suhrkamp taschenbuch* Band 435. 1978
Die Astronauten. *suhrkamp taschenbuch* Band 441. 1978
Sterntagebücher. *suhrkamp taschenbuch* Band 459. 1978
Golem XIV und andere Prosa. *Bibliothek Suhrkamp* Band 603. 1978
Memoiren, gefunden in der Badewanne. *suhrkamp taschenbuch* Band 508. 1979

Von Stanisław Lem
erschienen im Insel Verlag

Sterntagebücher. 1973
Die vollkommene Leere. 15 fiktive Rezensionen. 1973
Die Astronauten. 1974
Der futurologische Kongreß. Aus Ijon Tichys Erinnerungen. 1974
Memoiren, gefunden in der Badewanne. 1974
Die Untersuchung. *Kriminalroman.* 1975
Das Hospital der Verklärung. *Roman.* 1975
Der Unbesiegbare. *Roman.* 1976
Summa technologiae. 1976
Imaginäre Größe. 1976
Der Schnupfen. *Kriminalroman.* 1977
Phantastik und Futurologie I. 1977
Mondnacht. Hör- und Fernsehspiele. 1977
Eden. Roman einer außerirdischen Zivilisation 1978
Pilot Pirx. 1978
Erzählungen. 1979

Nacht und Schimmel. 1972 *(in dieser Ausgabe vergriffen)*
Die Jagd. 1973 *(in dieser Ausgabe vergriffen)*

In Anthologien:

Die Ratte im Labyrinth. 1971
Polaris 1. *insel taschenbuch* Band 30. 1973
Phaïcon 1. *insel taschenbuch* Band 69. 1974
Phaïcon 2. *insel taschenbuch* Band 154. 1975
Blick vom anderen Ufer. Europäische Science-fiction. *suhrkamp taschenbuch* Band 359. 1977
Pfade ins Unendliche. Insel Almanach auf das Jahr 1972
Stanisław Lem. Der dialektische Weise aus Kraków. Insel Almanach auf das Jahr 1976

Phantastische Bibliothek
in den suhrkamp taschenbüchern

Violetter Umschlag kennzeichnet die Bände der
»Phantastischen Bibliothek« innerhalb der *suhrkamp taschenbücher*

Band 1 Stanisław Lem, Nacht und Schimmel. Erzählungen. Aus dem Polnischen von I. Zimmermann-Göllheim. st 356
Band 2 H. P. Lovecraft, Das Ding auf der Schwelle. Unheimliche Geschichten. Deutsch von Rudolf Hermstein. st 357
Band 3 Herbert W. Franke. Ypsilon minus. st 358
Band 4 Blick vom anderen Ufer. Europäische Science-fiction. Herausgegeben von Franz Rottensteiner. st 359
Band 5 Gore Vidal, Messias. Roman. Deutsch von Helga und Peter von Tramin. st 390
Band 6 Ambrose Bierce, Das Spukhaus. Gespenstergeschichten. Deutsch von Gisela Günther, Anneliese Strauß und K. B. Leder. st 365
Band 7 Stanisław Lem, Transfer. Roman. Deutsch von Maria Kurecka. st 324
Band 8 H. P. Lovecraft, Der Fall Charles Dexter Ward. Zwei Horrorgeschichten. Aus dem Amerikanischen von Rudolf Hermstein. st 391
Band 9 Herbert W. Franke, Zarathustra kehrt zurück. st 410
Band 10 Algernon Blackwood, Besuch von Drüben. Gruselgeschichten. Aus dem Englischen von Friedrich Polakovics. st 411
Band 11 Stanisław Lem, Solaris. Roman. Aus dem Polnischen von I. Zimmermann-Göllheim. st 226
Band 12 Algernon Blackwood, Das leere Haus. Phantastische Geschichten. Deutsch von Friedrich Polakovics. st 30
Band 13 A. und B. Strugatzki, Die Schnecke am Hang. Aus dem Russischen von H. Földeak. Mit einem Nachwort von Darko Suvin. st 434
Band 14 Stanisław Lem, Die Untersuchung. Kriminalroman. Aus dem Polnischen von Jens Reuter und Hans Jürgen Mayer. st 435
Band 15 Philip K. Dick, UBIK. Science-fiction-Roman. Aus dem Amerikanischen von Renate Laux. st 440
Band 16 Stanisław Lem, Die Astronauten. Utopischer Roman. Aus dem Polnischen von Rudolf Pabel. st 441
Band 17 Phaïcon 3. Almanach der phantastischen Literatur. Herausgegeben von Rein A. Zondergeld. st 443
Band 18 Stanisław Lem, Die Jagd. Neue Geschichten des Piloten Pirx. Aus dem Polnischen von Roswitha Buschmann, Kurt Kelm, Barbara Sparing. st 302

Band 19 H. P. Lovecraft, Cthulhu. Geistergeschichten. Deutsch von H. C. Artmann. Vorwort von Giorgio Manganelli. st 29

Band 20 Stanisław Lem, Sterntagebücher. Aus dem Polnischen von Caesar Rymarowicz. Mit Zeichnungen des Autors. st 459

Band 21 Polaris 4. Ein Science-fiction-Almanach von Franz Rottensteiner. st 460

Band 22 Das unsichtbare Auge. Eine Sammlung von Phantomen und anderen unheimlichen Erscheinungen. Erzählungen. Herausgegeben von Kalju Kirde. st 477

Band 23 Stefan Grabiński, Das Abstellgleis und andere Erzählungen. Mit einem Nachwort von Stanisław Lem. Aus dem Polnischen von Klaus Staemmler. st 478

Band 24 H. P. Lovecraft, Berge des Wahnsinns. Zwei Horrorgeschichten. Deutsch von Rudolf Hermstein. st 220

Band 25 Stanisław Lem, Memoiren, gefunden in der Badewanne. Aus dem Polnischen von Walter Tiel. Mit einer Einleitung des Autors. st 508

Band 26 Gerd Maximovič, Die Erforschung des Omega-Planeten. Erzählungen. st 509

Band 27 Edgar Allan Poe, Der Fall des Hauses Ascher. Aus dem Amerikanischen von Arno Schmidt und Hans Wollschläger. st 517

Band 28 Algernon Blackwood, Der Griff aus dem Dunkel. Gespenstergeschichten. Deutsch von Friedrich Polakovics. st 518

Band 29 Stanisław Lem, Der futurologische Kongreß. Aus dem Polnischen von I. Zimmermann-Göllheim. st 534

Band 30 Herbert W. Franke, Sirius Transit. Roman. st 535

Band 31 Darko Suvin, Poetik der Science Fiction. Zur Theorie und Geschichte einer literarischen Gattung. Deutsch von Franz Rottensteiner. st 539

Band 32 M. R. James, Der Schatz des Abtes Thomas. Zehn Geistergeschichten. Aus dem Englischen von Friedrich Polakovics. st 540

Band 33 Stanisław Lem, Der Schnupfen. Kriminalroman. Autorisierte Übersetzung aus dem Polnischen von Klaus Staemmler. st 571 (erscheint im Dezember 1979)

Band 34 Franz Rottensteiner (Hrsg.), ›Quarber Merkur‹. Aufsätze zur Science-fiction und Phantastischen Literatur. st 572 (erscheint im Dezember 1979)

Band 35 Herbert W. Franke, Zone Null. Science-fiction-Roman. st 586 (erscheint im März 1980)

Band 36 Über Stanisław Lem. Herausgegeben von Werner Berthel. st 587 (erscheint im März 1980)

Band 37 Wie der Teufel den Professor holte. Science-fiction-Erzählungen aus Polaris 1. st 629

Band 38 Das Mädchen am Abhang. Science-fiction-Erzählungen aus Polaris 2. st 630

Band 39 Der Weltraumfriseur. Science-fiction-Erzählungen aus Polaris 3. st 631

Band 40 Die Büßerinnen aus dem Gnadenkloster. Phantastische Erzählungen aus Phaïcon 2. Herausgegeben und mit einem Vorwort von Rein A. Zondergeld. st 632

Band 41 Herbert W. Franke, Einsteins Erben. Science-fiction-Geschichten. st 603 (erscheint im Mai 1980)

Band 42 Sir Edward Bulwer-Lytton, Das kommende Geschlecht. Aus dem Englischen übersetzt von Michael Walter. st 609 (erscheint im Juni 1980)

Band 43 H. P. Lovecraft, Erzählungen. Deutsch von Michael Walter. st 625 (erscheint im September 1980)

Band 44 Phaïcon 4. Almanach der phantastischen Literatur. Herausgegeben von Rein A. Zondergeld. st 636 (erscheint im Oktober 1980)

st 515 José Donoso
Ort ohne Grenzen. Roman
Aus dem Spanischen von Heidrun Adler
118 Seiten
Donoso porträtiert eine dekadente, verkommene und verzerrte Gesellschaft durch Schilderung zwischenmenschlicher Beziehungen, die auf Macht gründen: Macht durch Besitz, Macht durch sexuelle Gewalt. Der vollkommene Romanaufbau, die Dichte der beklemmenden Bilder, die Unverwechselbarkeit von Donosos höllischer Welt weisen den Autor als hervorragenden Romancier Lateinamerikas aus.

st 517 Edgar Allan Poe, Der Fall des Hauses Ascher
Groteske Schauergeschichten
Deutsch von Arno Schmidt und Hans Wollschläger
Phantastische Bibliothek Band 27
182 Seiten
»Das sind nicht einfach kreuzbrave Übersetzungen, sondern Versuche, dem Original zusätzliche Feinheiten (und Grobheiten) durch Übertragung ins Deutsche abzugewinnen, ja selbst ins Unterbewußte des Lesers vorzugreifen.«
Frankfurter Rundschau

st 518 Algernon Blackwood
Der Griff aus dem Dunkel
Gespenstergeschichten
Deutsch von Friedrich Polakovics
Mit einem Vorwort von Kalju Kirde
Phantastische Bibliothek Band 28
260 Seiten
Die Gespenstergeschichten dieses Bandes haben eines zum Thema: den Eingriff übernatürlicher Kräfte in unsere Alltagswelt. Meisterhaft versteht es Blackwood, den Leser darüber im ungewissen zu lassen, ob der Erzähler in seinen Geschichten nun selbst davon überzeugt ist, daß tatsächlich Besuch aus der Geisterwelt bei den Gestalten seiner Erzählungen eingekehrt ist.

st 519 Heinrich Zimmer, Spiel um den Elefanten
Ein Buch von indischer Natur
Mit 21 Abbildungen
Einleitung von Walter Höllerer
214 Seiten
Heinrich Zimmer geht auf die europäische Kulturgeschichte ein und leitet dann über zur indischen Physiologie: dort steht die Typenlehre des Elefanten in Verbindung mit der Lehre von den Leibesstoffen, und diese korrespondiert wiederum mit den vier Kastentypen und ihren symbolischen Farben, mit den Welt- und Lebensaltern. So ist seine Darstellung zugleich eine lebendige Anschauung indischen Denkens.
»... eine wahre Fundgrube des Aparten, Skurrilen und Geheimnisvollen für historisch abenteuerlustige Leser.«
Nürnberger Zeitung

st 520 Fritz J. Raddatz, ZEIT-Gespräche
Zehn Dialoge mit Günter Grass, Rolf Hochhuth, Thomas Brasch, Joseph Breitbach, Alfred Grosser, Alberto Moravia, Leszek Kolakowski, Susan Sontag, James Baldwin, Hans Mayer
162 Seiten
Im Mittelpunkt dieser zehn Dialoge steht die Frage nach der Verantwortlichkeit des Schriftstellers in dieser Zeit.

st 521 Hans Carossa, Ungleiche Welten
Lebensbericht
230 Seiten

Dieser in den Jahren 1944–1950 niedergeschriebene autobiographische Rückblick ist eines der aktuellsten Bücher Carossas und darüber hinaus ein kulturpolitisches Quellenwerk ersten Ranges. Es rekapituliert die Verflechtungen der deutschen Kultur mit den politischen Ereignissen seit dem Ende des Ersten Weltkriegs und schildert die Genese und die Praktiken des Nationalsozialismus nicht aus der distanzierten Perspektive des Exils, sondern aus dem Erlebnis eines unmittelbar Betroffenen.

st 522 Walter Scheel/Hans Apel
Die Bundeswehr und wir
Zwei Reden
74 Seiten
Zur Diskussion gestellt werden in diesem Band zwei Reden, die Walter Scheel und Hans Apel vor den Kommandeuren der Bundeswehr gehalten haben: *Über die sittlichen Grundlagen von Verteidigungsbereitschaft und demokratischem Bewußtsein* und *Kontinuität in der Sicherheits- und Verteidigungspolitik der Bundesrepublik Deutschland.*

st 523 Christiane Rochefort
Zum Glück gehts dem Sommer entgegen
Roman
Aus dem Französischen von Eugen Helmlé
222 Seiten
»*Zum Glück gehts dem Sommer entgegen* ist eine Warnung an die Erwachsenen, an Eltern, Lehrer und Erzieher, ihre Kinder ernst zu nehmen und es niemals bei erzieherischer Routine bewenden zu lassen.«
Franz Rappmannsberger

st 524 Ernst Claes, Flachskopf
Aus dem Flämischen von Peter Mertens
Mit einem Vorwort und mit Bildern
von Felix Timmermans
232 Seiten
Dieser Roman, 1930 erstmals deutsch erschienen, erzählt Episoden aus der Kindheit von Lodewijk Verheyden, den man in seinem flämischen Heimatdorf wegen seiner blonden Haare nur »Flachskopf« nennt. Es ist, nach Felix Timmermanns, »die Geschichte einer sieghaften Jugend, in der der Geist des Reincke Fuchs und Eulenspielgels lebt«.

st 525 Martin Walser, Jenseits der Liebe
Roman
176 Seiten
Walser demonstriert, was es heißt, jene Grenze zwischen Liebe und jenseits der Liebe überschritten zu haben. Er zeigt auf, daß Liebe oder der Mangel daran sich auch sozial begreifen läßt, daß Liebe einsetzbar ist, entzogen werden kann. Daß sie unter vielerlei Namen auftritt und immer ein Teil dessen ist, was uns lebensfähig macht.
»Es ist eine nervige Sprache, in der eine Fülle von Beobachtungen aufgehoben sind.« *National-Zeitung, Basel*

st 526 Jurek Becker, Der Boxer
Roman
320 Seiten
Jurek Becker ist mit der Geschichte Aron Blanks den Folgen eines Krieges nachgegangen, die nicht untersucht und registriert werden, die nicht durch Wiedergutmachung aufgehoben werden. Und die Person des Autors nimmt Anteil am Stillstand und damit am geräuschlosen verspäteten Untergang einer Familie.
»*Der Boxer* zeigt alle Eigenschaften eines sein Thema souverän beherrschenden Erzählers. Es ist ein Meisterwerk geworden.« *Rheinische Post*

st 527 Jochen Schimmang, Der schöne Vogel Phönix
Erinnerungen eines Dreißigjährigen
300 Seiten
Der autobiographische Bericht eines Dreißigjährigen, der die Spätphase der antiautoritären Bewegung, Studium, Kaderarbeit für eine K-Gruppe und den Bruch mit dieser Gruppe, Schwierigkeiten beim Übergang ins Berufsleben, Hoffnungen, Desillusionierung und Depressivität dieser Jahre durchaus repräsentativ, also nachvollziehbar, zum Wiedererkennen und Sichunterscheiden, verfolgt, mitgemacht, erlebt hat.

st 528 Junker/Link, Ein Mann ohne Klasse
Roman
512 Seiten
Neugierig, wach, witzig, eitel, sehr beredet ist dieser »Mann ohne Klasse«, ein energischer Macher, souverän,

aber zugleich der wuchernden Vielfalt seines Lebens ausgeliefert, sie frißt ihn auf: die Lebenssituation der siebziger Jahre im Roman.

st 529 Helmut Degner, Graugrün und Kastanienbraun
Aufzeichnungen eines Neurotikers
294 Seiten
Zwischen den Aufenthalten in der Psychiatrie hat der Neurotiker sich acht Jahre lang in seiner Wohnung verkrochen. Er hat Angst und Angst vor der Angst. Eines Tages hat er begonnen, sich aus dieser Angst und aus den zwanghaften Erinnerungen an leidvolle Erfahrungen herauszuschreiben. Er nimmt freieren Kontakt zu Marion und zu anderen Menschen auf. »Graugrün und kastanienbraun sind nicht mehr nur die Augen und das Haar des Mädchens – das ist für mich das Leben: grau, aber immer auch ein wenig grün, und wenn es schön ist, kastanienbraun.«

st 530 Wolfgang Koeppen, Reisen nach Frankreich
176 Seiten
Die *Reisen nach Frankreich* führen vom äußersten Norden bis nach Marseille und Nizza. Aber bei allen Städten Frankreichs in der Provinz, die Koeppen besucht, spürt er die große Sehnsucht, die nach Paris gerichtet ist. So schließt auch wie selbstverständlich ein großes Paris-Kapitel dieses Buch, das 1961 erstmals erschien, ab.

st 531 Hermann Lenz, Der russische Regenbogen
Roman
176 Seiten
Die junge Russin Tamara wird 1944 als Kriegsgefangene nach Ostpreußen geschafft, von dort flieht sie, gelangt aber nur in das Fremdarbeiterinnenlager einer süddeutschen Stadt. Ihr moralischer Halt sind ihr Haß und das Gift, das sie in der Jacke versteckt hat. Von den Amerikanern befreit, gibt sie ein Fest, das Opfer und ehemalige Feinde vereint.

st 532 Christiane Rochefort, Frühling für Anfänger
Roman
240 Seiten

Christoph Ronin, sechzehn Jahre, dreht eines Abends durch. Aus der Beschirmtheit durch den häuslichen Fernsehapparat geht er weg und seiner eigenen Wege. Seine Stationen sind Pommes-frites-Buden, Flipperlokale, eine Bibliothek, drei Betten und ein Parkplatz. Der März im Paris des Jahres 1967 wird zum Vorboten des Pariser Mais 1968.

st 534 Stanisław Lem, Der futurologische Kongreß
Aus Ijon Tichys Erinnerungen
Aus dem Polnischen von I. Zimmermann-Göllheim
Phantastische Bibliothek Band 29
144 Seiten
Im Zeitalter der Psychemie werden alle Sinneswahrnehmungen durch chemische Mittel beeinflußt, die die ganze menschliche Existenz durchdringen, so daß es keine Wirklichkeit mehr gibt, die nicht chemisch manipuliert wäre. Lem betreibt ein Spiel mit der Sprache und imaginiert beiläufig eine Futurologie, die die Zukunft anhand der Umformungsmöglichkeiten der Sprache erforscht.

st 535 Herbert W. Franke, Sirius Transit
Phantastische Bibliothek Band 30
176 Seiten
Ein neuentdeckter, erdähnlicher Planet und eine Firma, die die Besiedlung organisiert: die SIRIUS TRANSIT. Für Barry Griffin bedeutet der neue Planet die Erfüllung alter Träume und Sehnsüchte, und er hofft, daß der ältere Bruder, der Leiter der SIRIUS TRANSIT, ihm einen Job bei den Erschließungsarbeiten verschaffen kann. Schließlich gelingt es Barry, das Geheimnis der SIRIUS TRANSIT aufzuklären, aber er verirrt sich in diesem System perfekter technischer Illusion, in dem die Unterschiede zwischen Wirklichkeit und Täuschung verfließen.

st 536 Samuel Beckett, Der Namenlose
Roman
Übertragen von Elmar Tophoven, Erika Tophoven und Erich Franzen
180 Seiten
»Es ist die Kunst des dichterischen Buchstabierens, die hier durch den Mund eines Quasi-Toten geübt wird: höchste Raffinesse verbindet sich mit der Magie des

Simplen: Versuche, die verlorengegangene Wirklichkeit durch rücksichtslose Reduktion einzubringen.«

Horst Krüger

st 539 Darko Suvin, Poetik der Science Fiction
Zur Theorie und Geschichte einer literarischen Gattung
Aus dem Amerikanischen übersetzt von Franz Rottensteiner
Phantastische Bibliothek Band 31
368 Seiten
Der Literaturwissenschaftler und SF-Theoretiker Suvin beginnt mit der Absteckung der Grenzen der SF gegenüber benachbarten Gattungen wie Märchen, Mythos, Schäferdichtung und Phantastik. Sodann wird die Utopie als in erster Linie literarisches Kunstwerk neu definiert. Im historischen Teil des Buches werden die theoretischen Postulate und Erkenntnisse konsequent zur Untersuchung der Geschichte der Gattung herangezogen, von der ältesten griechischen Vorstellung über die Utopien und Staatsromane der Renaissance, den Planetenroman, die Erneuerungsbestrebungen der Romantik, bis hin zu so hervorragenden Ahnherren der modernen SF wie Verne, Wells und Čapek.

st 540 M. R. James, Der Schatz des Abtes Thomas
Phantastische Geschichten
Deutsch von Friedrich Polakovics
Phantastische Bibliothek Band 32
208 Seiten
M. R. James hat unter den Liebhabern der Geistesgeschichte den gleichen Ruf wie A. Conan Doyle unter den Anhängern der Detektivgeschichte. Die Geschichten dieses Bandes sind getränkt von Hexerei, Dämonologie, Geheimwissenschaft und Folklore. Die Geister sind weder freundlich noch amüsant, sondern gefährlich und rachsüchtig. »... eine genüßliche Lektüre für lange Abende.«

Neue Westfälische

st 541 Thomas Brasch
Kargo. 32. Versuch auf einem untergehenden Schiff aus der eigenen Haut zu kommen
198 Seiten
»So könnte kein anderer schreiben, er fände nicht einmal die Sprache. ... Es wachsen unserer Literatur Autoren zu,

die dazu beitragen, daß uns Hören und Sehen vergeht – oder endlich wiederkommt.« *Martin Gregor-Dellin*

st 542 Franz Innerhofer
Schattseite. Roman
272 Seiten
Nach seinem ersten Roman *Schöne Tage* (st 349) erzählt Innerhofer in seinem neuen Buch von den weiteren Stationen seines alter ego Holl.
»Wo Literatur sich gegen jene Verhältnisse wendet, wo die Hauptfigur des Romans kein stärkeres Bedürfnis kennt, als die herrschenden Lebens- und Arbeitsbedingungen loszuwerden, da stellt sich Literatur, ob sie es will oder nicht, mitten hinein in die aktuellen gesellschaftlichen Auseinandersetzungen.« *Michael Scharang*

st 544 Helmuth Plessner
Zwischen Philosophie und Gesellschaft
Ausgewählte Abhandlungen und Vorträge
382 Seiten
Die Abhandlungen und Vorträge Plessners beschäftigen sich mit der Situation der Philosophie zwischen den beiden Weltkriegen, mit dem Werk Husserls, mit Nicolai Hartmann und mit der gewiß nicht veralteten Frage, ob es einen Fortschritt in der Philosophie gebe. Einen weiteren Schwerpunkt bilden die Arbeiten zur philosophischen Anthropologie: Zur Deutung des mimischen Ausdrucks, zur Anthropologie des Schauspielers, über das Lächeln und über das Problem des Verhältnisses der menschlichen Natur zur Macht.

st 545 Stimmen und Visionen
Gespräche von Sam Keen mit Norman O. Brown, Herbert Marcuse, Joseph Campbell, John Lilly, Carlos Castaneda, Oscar Ichazo, Stanley Keleman, Ernest Becker, Robert Assagioli
Aus dem Amerikanischen von Dora Fischer-Barnicol
240 Seiten
Der Harvard-Professor Sam Keen führte in den ersten siebziger Jahren im Auftrag der Zeitschrift *Psychology Today* Gespräche mit berühmten Zeitgenossen. Ziel und Ergebnis waren eine Übersicht der spirituellen, psychologischen und politischen Bewegungen, der ›geistigen‹ Vorgänge auf der amerikanischen Szene.

st 546 Volker Braun
Das ungezwungne Leben Kasts
208 Seiten
Vier Liebesgeschichten sind es, die erste von einem Zwanzigjährigen geschrieben, die letzte im Alter von fünfunddreißig. Hier wird den gesellschaftlichen Widersprüchen des realen Sozialismus auf den Grund gegangen bei dem Versuch, die verschiedenen Lebensbereiche – Arbeit, Wissenschaft, das Künstlerische, das Körperliche – für sich, für Kasts Leben, zu vereinen. Kast erfährt »die neuen Abhängigkeiten«, die im Sozialismus »um so härter empfunden, fürchterlicher werden«.

st 547 Max Brod
Der Prager Kreis
Mit einem Nachwort von Peter Demetz
264 Seiten
Die Darstellung geht von dem »engeren Prager Kreis« aus, der Kafka, Brod, Felix Weltsch, Oskar Baum, Ludwig Winder umfaßte. Brod schildert dann die Kontakte mit dem »weiteren Prager Kreis« (Franz Werfel, Willy Haas, Johannes Urzidil u. a.) und mit den tschechischen Künstlern. Auch zeigt er viele andere »Ausstrahlungen«. So ruft er zum Beispiel den genialen Erzähler Hermann Grab in Erinnerung.

st 548 Friederike Mayröcker. Ein Lesebuch
Herausgegeben und eingeleitet von Gisela Lindemann
352 Seiten
Die Auswahl aus dem bisherigen Werk von Friederike Mayröcker ist eine näherungsweise thematisch orientierte Komposition. Es sollen darin alle literarischen Formen vorgeführt werden, die die Autorin im Laufe der Jahre durchgespielt hat: unterschiedliche Formen von Lyrik, szenischer Prosa, Hörspiel, erzählender Prosa.

st 549 E. M. Cioran, Vom Nachteil, geboren zu sein
Übersetzt von François Bondy
176 Seiten
Jenseits aller intellektuellen und weltanschaulichen Lager hat Cioran in seinen Aphorismen eine Position bezogen, die er selbst als die des Zweiflers, des radikalen Skeptikers bezeichnet.

st 550 E. M. Cioran, Die verfehlte Schöpfung
Übersetzt von François Bondy. Das Kapitel
»Die neuen Götter« wurde von Elmar Tophoven übersetzt
136 Seiten
Die verfehlte Schöpfung ist eine rasant vorgetragene Attacke auf alle theologisch oder geschichtsphilosophisch verbürgten Sicherheiten, auf die Existenz eines übergreifenden »Sinns«, auf die Idee der Erlösung.
»Eine neue Art des Philosophierens: persönlich (sogar autobiographisch), aphoristisch, lyrisch, anti-systematisch. Die bedeutendsten Beispiele: Kierkegaard, Nietzsche und Wittgenstein – Cioran ist heute die hervorragendste Figur dieser Tradition des Schreibens.« *Susan Sontag*

st 553 Basis. Jahrbuch für deutsche Gegenwartsliteratur
Band 9
Herausgegeben von Reinhold Grimm und Jost Hermand
272 Seiten
Mit Beiträgen von Norbert Mecklenburg, Manfred Durzak, Jost Hermand, Adolf Muschg, Bernd Neumann, Mazzino Montinari u. a. Ohne methodisch festgelegt zu sein, sucht *Basis* eine Literaturbetrachtung zu fördern, die an der materialistischen Grundlage orientiert ist.

st 557 Walter Schäfer, Erziehung im Ernstfall
Die Odenwaldschule 1946–1972
Mit einem Nachwort von Hellmut Becker
264 Seiten
Am Beispiel der privaten Heimschule *Odenwaldschule* soll gezeigt werden, wo in unserer Gesellschaft während der ersten Nachkriegsjahrzehnte Behinderungen beim Heranwachsen junger Menschen sichtbar wurden und wie man versucht hat, diese Behinderungen nachhaltig abzubauen.

st 558 Erica Pedretti
Harmloses, bitte
80 Seiten
An den Bildern, die Erica Pedretti in anschaulicher Deutlichkeit entwirft, läßt sich der Übergang von der Deskription einer idyllischen Landschaft, des heilen Lebens zur angedeuteten Tragödie erkennen. Dieses Modell ist in einer gegenständlichen Sprache erzählt, die modernste

Erzähltechniken ebenso wie den einfachen Satz aufnimmt. So erweist sich der Text als spiegelndes Glatteis, auf dem der, der Harmloses erwartet, zu Fall kommt.

st 559 Ralf Dahrendorf
Lebenschancen
Anläufe zur sozialen und politischen Theorie
238 Seiten
Dieser Band ist ein Versuch, den Begriff der Lebenschancen als Schlüsselbegriff zum Verständnis sozialer Prozesse zu etablieren und in den Zusammenhang geschichtsphilosophischer Erwägungen zur Frage des Fortschritts, sozialwissenschaftlicher Analysen des Endes der Modernität und politisch-theoretischer Überlegungen zum Liberalismus zu stellen.

st 568 Bernard von Brentano
Berliner Novellen
Mit Illustrationen nach Linolschnitten von
Clément Moreau
96 Seiten
In dieser 1934 erstmals erschienenen Sammlung erzählt der Autor die Geschichte des sechsjährigen Rudi, eines angeblichen Attentäters, er erzählt die Geschichte eines außerordentlichen Mädchens (»Von der Armut der reichen Leute«), eines Straßenmusikanten (»Der Mann ohne Ausweis«). Er sieht Zusammenhänge dort, wo Zeitungen Berichte bieten. Arbeiter, Arbeiterinnen, Bettler treten auf, aber auch das Berlin der Bankhäuser und des Geldes. Klaus Michael Grüber entdeckte die Novelle »Rudi« für eine Inszenierung durch die *Schaubühne am Halleschen Ufer* im Berliner *Hotel Esplanade.*

st 595 Ödön von Horváth, Geschichten aus dem Wiener Wald
Ein Film von Maximilian Schell
Mit zahlreichen Abbildungen
160 Seiten
Zur Uraufführung des Maximilian Schell-Films »Geschichten aus dem Wiener Wald« nach dem Volksstück von Ödön von Horváth liegt dieser Band mit dem Drehbuch von Christopher Hampton und Maximilian Schell und zahlreichen Fotos des 1978 in Wien und Umgebung entstandenen Films vor, der den Entstehungsprozeß des Films dokumentiert.

Alphabetisches Gesamtverzeichnis der suhrkamp taschenbücher